Herzen, Aleksandr

Aus den Memoiren eines Russen

Herzen, Aleksandr

Aus den Memoiren eines Russen

Inktank publishing, 2018

www.inktank-publishing.com

ISBN/EAN: 9783747795088

Aus den

Memoiren eines Russen.

Vierte Folge.

Gedachtes und Erlebtes

von

Alexander Herzen,

Verfasser des „Vom anderen Ufer," der „Briefe aus Italien und
Frankreich" und „Rußlands sociale Zustände."

Hamburg.

Hoffmann und Campe.

1859.

Vorwort.

Der Auszug, der jetzt gedruckt vorliegt, folgt gerade auf die zwei Theile, welche besonders herausgegeben wurden unter dem Titel: „Gefängniß und Exil." Er wurde damals auch geschrieben (1853), aber ich habe viel hinzugefügt und ausgefüllt.

Meine Memoiren haben ein sonderbares Schicksal; ich wollte nur einen Theil davon drucken, statt dessen habe ich drei gedruckt und drucke jetzt den vierten.

Ein Pariser Recensent (la Presse 13. Oct. 1856), der sich übrigens sehr beifällig über den dritten Theil der deutschen Ausgabe meiner Memoiren ausdrückt, in welchem ich von meiner Kindheit erzähle, bemerkt scherzend: daß ich mein Leben wie ein episches Gedicht behandle, d. h. in medias res anfange und darauf zur Kindheit zurückkehre.

Diese epische Koketterie ist völlig zufällig und wenn irgend Jemand deshalb anzuklagen ist, so bin ich es gewiß nicht, sondern viel eher meine Recensenten, und unter diesen der Kritiker der „Presse" selbst. Wenn sie die Bruchstücke meiner Memoiren strenger, kälter oder gar ohne die geringste Aufmerksamkeit aufgenommen hätten, so würde ich mich nicht so schnell entschlossen haben mehr zu drucken und hätte also Zeit gehabt darüber nachzudenken, in welcher Ordnung ich drucken sollte.

Die Aufnahme, die ihnen zu Theil wurde, bestimmte mich und es würde mir schwerer sein nicht zu drucken, als zu drucken.

Ich weiß, daß der größte Theil ihres Erfolgs nicht mir gehört, sondern dem Gegenstande. Die Leute im Westen waren froh, einmal hinter die Coulissen des russischen Lebens zu sehen. Aber es kann auch sein, daß die Theilnahme an meiner Erzählung zum Theil der einfachen Wahrheit derselben gilt. Dieser Lohn würde mir sehr theuer sein; es ist der einzige, den ich wünsche.

Der Theil, der jetzt gedruckt vorliegt, ist intimer als die vorigen; darum hat er vielleicht weniger Interesse, weniger Thatsachen. Aber mir war es viel schwerer ihn zu schreiben. An ihn ging ich mit besonderer Furcht vor dem Vergangenen und druckte ihn mit innerlichem Zittern, ohne mir selbst Rechenschaft zu geben warum. — — — —

Es könnte sein, daß Einige von denen, die sich mit dem äußern Theil meines Lebens beschäftigt haben, sich auch mit dem innern Theil beschäftigen möchten. Denn wir sind jetzt schon alte Bekannte.

London, im November 1856.

A. Herzen.

Inhaltsangabe.

———

———

Auszüge aus dem dritten und vierten Theil der Memoiren von Iskander.

Dritter Theil.
Moskau nach dem zweiten Exil
(1842—1847).

7

VIII

Erstes Kapitel.

Die Fürstin und das Fräulein-Fürstin.

———

Als ich fünf, sechs Jahre alt und sehr muth-
willig war, sagte Vera Artamonowna öfter zu mir:
„Gut, gut, lassen Sie nur die Zeit kommen, warten Sie nur, ich werde der Fürstin Alles erzählen,
sobald sie kommt." Ich wurde gleich zahm bei
dieser Drohung und bat sie, sich nicht zu beklagen.

Die Fürstin Chowanski, die leibliche Schwester
meines Vaters, war eine strenge, grämliche alte
Frau, dick, gravitätisch, mit einer Flechte auf der
Backe und mit falschen Locken, die unter der Haube
hervorsahen; sie kniff die Augen zu, wenn sie
sprach und legte bis zum Ende ihres Lebens,
d. h. bis zum achtzigsten Jahre, etwas rothe und
weiße Schminke auf. Jedesmal, wenn ich sie zu
Gesicht bekam, tyrannisirte sie mich mit ihren

Herzen, Gedachtes und Erlebtes.   1

Predigten; des Scheltens war kein Ende, sie tadelte Alles an mir, bald meinen zerknitterten Hemdkragen, oder die Flecken auf der Jacke, oder weil ich ihr nicht die Hand so küssen sollte, sondern so, und nöthigte mich dann es noch einmal zu thun. Hatte sie die Predigt beendet, so sagte sie gewöhnlich zu meinem Vater, während sie mit den Fingerspitzen aus einer kleinen goldnen Tabacksdose eine Prise nahm: „Mein Schatz, du müßtest deinen verzogenen Kleinen da bei mir in die Zucht geben, das sollte er in einem Monat geschmeidig werden." — Ich wußte, daß man mich nicht weggeben würde, und doch machten mich diese Worte immer schaudern. Die Furcht verging mit den Jahren, aber das Haus der Fürstin liebte ich nicht, ich konnte darin nicht frei athmen, ich fühlte mich bei ihr nicht heimisch, und benutzte immer die erste beste Gelegenheit, um mich aus dem Staube zu machen.

Dieses Haus glich ganz und gar nicht dem meines Vaters oder dem des Senators. Es war ein altes, orthodox russisches Haus, ein Haus, in welchem man die Fasten hielt, zur Frühmesse ging, am Vorabend von Epiphanie das Kreuz auf die Thüren setzte, außerordentlich gute Pfannkuchen im Carneval buk, gepökeltes Schweinefleisch mit Zwiebeln gebraten und Meerrettig aß, früh um zwei

Uhr zu Mittag und um neun Uhr zu Abend speiste. Die Ansteckung des Westens, welche die Brüder ergriffen und sie in etwas aus dem angebornen Geleise gebracht hatte, hatte das Leben der Fürstin nicht berührt, sie bemerkte im Gegentheil mit Mißvergnügen, wie „Wanuschka und Lewuschka"*) sich in diesem Frankreich verdorben hatten.

Die Fürstin lebte in dem Flügel eines Hauses, welches von ihrer Tante, der Fürstin Mescherski, einer achtzigjährigen Jungfrau, bewohnt wurde.

Das Fräulein-Fürstin war fast das einzige lebendige verbindende Glied für die Menge der Verwandten von allen auf- und abblühenden Zweigen der ganzen Familie. Um sie versammelten sich an den großen Feiertagen alle Anverwandte, sie stiftete Frieden zwischen den Streitenden, näherte die sich Entfernteren einander, und Alle schätzten sie und sie verdiente dies. Nach ihrem Tode fielen die Verwandten auseinander, sie hatten ihren Mittelpunkt verloren und vergaßen sich endlich Einer den Andern.

Sie beendigte die Erziehung meines Vaters und seiner Brüder; nach dem Tode von deren El-

---

*) Diminutive von Johann und Leo.

1

tern verwaltete sie das Vermögen bis zu ihrer Volljährigkeit; sie brachte sie in die Garden, in den
Dienst, sie verheirathete ihre Schwestern. Ich weiß
nicht, in wie weit sie mit der Frucht ihrer Erziehung
zufrieden war, welche, mit der Hülfe eines französischen Ingenieurs, eines Verwandten von Voltaire,
ihre Neffen zu esprits forts bildete; aber sich in
Respekt zu setzen verstand sie jedenfalls und die
Neffen, die sonst nicht sehr zu den Gefühlen des
Gehorsams und der Ehrfurcht neigten, verehrten
die Alte und gehorchten ihr bis zum Ende ihres
Lebens.

Das Haus der Fräulein-Fürstin, welches wie
durch ein Wunder zur Zeit der Feuersbrunst von
1812 unversehrt geblieben war, blieb funfzig Jahre
lang ohne irgend eine Aenderung; damastene, ver-
blichene und geschwärzte Draperien bedeckten die
Wände; crystallene Kronleuchter, die aussahen wie
verbrannte und von der Zeit geschwärzte Rauch-
topasen, zitterten und klingelten, flimmernd mit
düsterem, erblindetem Glanz, wenn Jemand durch
das Zimmer ging; schwerfällige Möbel aus Maha-
goniholz mit überladenen Verzierungen, die ihre
Vergoldung verloren hatten, standen traurig an den
Wänden umher, Commoden, mit chinesischen Mustern
eingelegt, Tische mit kupfernen Gittern, Porcellan-

Rococco-Figuren — Alles erinnerte an ein anderes Jahrhundert, an andere Sitten.

Im Vorzimmer saßen ergraute Lakaien, ernst und ruhig mit verschiedenen kleinen Arbeiten beschäftigt, oder zuweilen halblaut in einem Gebetbuch oder den Psalmen lesend, deren Blätter dunkler waren als der Einband. An den Thüren standen Knaben, aber auch sie waren eher alten Zwergen als Kindern ähnlich; sie lachten nie und erhoben nie die Stimme.

In den inneren Zimmern herrschte Todtenstille; nur von Zeit zu Zeit erhob sich der traurige Schrei des Kakadus, der den unglücklichen Versuch machte, menschliche Laute hervorzubringen, oder es ließ sich der unangenehme Ton hören, den das Wetzen seines Schnabels an der mit Blech eingefaßten Stange verursachte, worauf dann das Wimmern widerwärtiger kleiner Affen folgte, die alt und abgelebt im Saale auf den Stufen eines Ofens von Backsteinen mit Glaçur lebten. Diese Affen, welche wie Debardeure mit weiten rothen Hosen bekleidet waren, erfüllten das ganze Zimmer mit einem eigenthümlichen, außerordentlich unangenehmen Geruch. Im nächsten Saale hingen eine Menge Familienportraits von allen Größen, in allen Formen, aus allen Zeiten, in allen Altern und Costümen. Diese Portraits hatten für mich ein besonderes Interesse wegen des Contrastes, den sie zu den Originalen bildeten. Der junge Mensch von ungefähr zwanzig Jahren, mit hellgrünem gesticktem Rocke, gepudertem Kopfe, höflich von der Leinwand herablächelnd — war mein Vater. Das Mädchen mit zerstreuten Locken, mit einem Rosenbouquet geschmückt, mit dem kleinen Schönpfläschen und mit dem unermeßlichen Reifrocke — war die gestrenge Fürstin. —

Die Feierlichkeit und Ruhe nahmen in dem Maaße zu, als man sich dem Kabinet näherte. Alte Dienerinnen in weißen Mützen mit breiten Strichen gingen ab und zu, mit Theekannen oder dergl., so leise, daß man ihre Schritte kaum hörte; zuweilen zeigte sich in der Thür ein ergrauter Diener in langem Oberrock von dickem blauem Tuche, aber auch seine Schritte waren nicht hörbar, ja er machte seinen Bericht an die älteste Dienerin, ohne daß die Lippen Geräusch verursachten.

Die kleine, vertrocknete, aber trotz der Runzeln im Gesicht durchaus nicht häßliche alte Dame saß, oder besser lag gewöhnlich, mit Kissen umgeben, auf einem langen, unbequemen Divan. Man konnte sie selbst kaum noch sehen, Alles war weiß auf dem Divan: Ueberrock, Haube, Kissen, Decken. Ihr wie Wachs weißes und wie Spitzen zartes Gesicht gaben ihr in Verbindung mit der schwachen Stimme und der weißen Kleidung etwas Todtenähnliches: die große englische Stehuhr mit ihrem gemessenen, sonoren Spondeus — Tik-tak — Tik-tak — Tik-tak, schien ihr immerfort die letzten Viertelstunden ihres Lebens zuzurufen. — — —

Gegen ein Uhr erschien die Fürstin und ließ sich gravitätisch in einem Armstuhl nieder; sie langweilte sich in ihrem leeren Flügel. Sie war Wittwe; ich erinnere mich noch ihres Mannes. Er war von kleinem Wuchse, ein graues, altes Männchen, der heimlich, ohne daß es die Fürstin sah, einen Bittern oder einen Likör trank, sich niemals mit etwas Nützlichem im Hause beschäftigte und an unbedingten Gehorsam gegen seine Frau gewöhnt war, welchen Gehorsam er jedoch zuweilen, besonders nach dem Likör, mit Worten, aber niemals mit der That verletzte. Die Fürstin wunderte sich dann, wie stark auf den Fürsten Fedor Sergewitsch das kleine Glas Branntwein wirke, das er officiell vor dem Essen trank, und ließ ihn ruhig den ganzen Morgen mit den Drosseln, Nachtigallen und Kanarienvögeln spielen, welche ohne Unterbrechung aus voller Kehle schrieen; er richtete die Einen mit der Orgel, die Anderen mit Pfeifen ab; er ging selbst sehr früh auf den Ochotnirinokschen Markt, um Vögel auszutauschen, zu verkaufen und einzukaufen; ja er fühlte sogar eine künstlerische Befriedigung, wenn es ihm gelang (wenigstens nach seiner Meinung) einen Kaufmann zu betrügen. In dieser Weise ging sein nützliches Leben fort, bis er einst plötzlich des Morgens, während er seinen Kanarienvögeln vorpfiff, rückwärts hinfiel und nach zwei Stunden starb.

Die Fürstin blieb mit zwei Töchtern allein. Sie verheirathete beide und beide ließen sich verheirathen, nicht aus Liebe, sondern um von der mütterlichen Tyrannei frei zu werden. Beide starben nach dem ersten Wochenbett. Die Fürstin hatte in der Welt viel Unglück, aber das Unglück verunstaltete ihren Charakter mehr, als daß es ihn sanfter gemacht hätte. Sie wurde unter den Schlägen des Schicksals nicht milder und besser, sondern härter und mürrischer.

Jetzt blieben ihr nur die Brüder und vor Allen das fürstliche Fräulein. Dieser Letzteren, von der sie sich fast nie im ganzen Leben getrennt hatte, schloß sie sich nach dem Tode ihres Mannes noch näher an. Jene ordnete nichts an in ihrem Hause, sondern die Fürstin schaltete darin völlig eigenmächtig und tyrannisirte die Alte unter dem Vorwande der Vorsorge und Aufmerksamkeit. Längs der Wände faßen in verschiedenen Ecken beständig alte Frauen aller Art, welche entweder bei dem Fräulein lebten oder in ihrem Hause sich zeitweise aufhielten. Halb Heilige, halb Vagabonden, ein wenig blödsinnig und sehr devot, kränklich und außerordentlich unreinlich, schleppten sich diese Alten aus einem alten Hause in das andere; in dem einen gab man ihnen zu essen, in dem andern erhielten sie einen alten Shawl zum Geschenk, hier empfingen sie Grütze und Holz, dort Leinen und Sauerkraut, und so halfen sie sich durch. Sie waren überall lästig, aber man duldete sie, setzte sie immer auf den letzten Platz, empfing sie aus Langerweile, besonders aber aus Lust zu Intriguen. Vor Fremden schwiegen diese unglücklichen Figuren gewöhnlich, sahen mit neidischer Verachtung Eine auf die Andere, schüttelten seufzend den Kopf, bekreuzten sich und murmelten etwas vor sich hin, entweder die Zahl der Maschen oder der Gebete, zuweilen zankten sie sich auch im Stillen. Wenn sie aber mit der Wohlthäterin und Beschützerin allein waren, dann entschädigten sie sich für das Stillschweigen, dann fiel ihre verrätherische Zunge über alle die anderen Wohlthäter her, von denen sie aufgenommen, ernährt und beschenkt wurden.

Sie verlangten jeden Augenblick etwas Anderes von dem fürstlichen Fräulein und für ihre Geschenke, die oft vor der Fürstin verheimlicht wurden, da diese es nicht liebte sie zu verwöhnen, brachten sie ihr versteinertes Kirchenbrod und selbstfabrizirte wollene und gestrickte überflüssige Dinge, welche das Fräulein darauf zu ihrem Vortheil verkaufte, wobei der Wille des Käufers gar nicht in Betracht kam.

Außer an dem Geburts- und Namenstage und anderen Feiertagen war die feierlichste Versammlung der Verwandten und Bekannten im Hause des fürstlichen Fräuleins am Vorabend des neuen Jahres. Dann empfing sie die Iwerskische Mutter Gottes.*) Mönche und Geistliche trugen das heilige Bild mit Gesängen durch alle Zimmer, das fürstliche Fräulein ging, die Erste, sich bekreuzend, darunter durch, ihr folgten alle Gäste, Diener, Dienerinnen, Alte und Kinder. Darnach beglückwünschten Alle sie zum neuen Jahr und überreichten ihr kleine Geschenke, wie man sie Kindern macht. Sie spielte einige Tage damit und verschenkte sie darauf selbst wieder.

Mein Vater führte mich jedes Jahr zu dieser heidnischen Ceremonie, Alles wiederholte sich in der-

---

*) Die Iberische Madonna, die im Kremlin ist und von den Russen hoch verehrt wird.

selben Ordnung, nur einige Greise und Greisinnen waren nicht mehr da; man schwieg absichtlich von ihnen, nur das Fräulein sagte: „Und unser Ili Wasilewitsch ist auch nicht mehr da! — gebe ihm Gott die ewige Seligkeit! Wen von uns wird der Herr das nächste Jahr heimrufen?" — Dabei schüttelte sie wehmüthig den Kopf. Und der Spondeus der englischen Stehuhr fuhr fort, Tage, Stunden, Minuten zu messen — — — und endlich maß er die verhängnißvolle Secunde: die Alte, als sie einstmals aufstand, fühlte sich nicht wohl; sie begab sich in das Wohnzimmer — es wurde nicht besser; das Blut kam ihr aus der Nase und zwar sehr heftig, sie war schwach, ermattet und, vollkommen angekleidet auf ihrem Divan liegend, schlief sie ein, um nicht wieder zu erwachen. Sie war damals im neunzigsten Lebensjahre.

Das Haus und den größten Theil des Vermögens hinterließ sie der Fürstin, aber den innern Gehalt ihres Lebens ließ sie ihr nicht: die Fürstin verstand nicht, wie dies das Fräulein verstanden hatte, das Verbindungsglied für die vielen auseinander gehenden Zweige der Familie zu bilden. Nach dem Tode des fürstlichen Fräuleins nahm, wie in Berggegenden nach dem Untergange der Sonne, Alles ein düsteres Aussehn an, lange schwarze

Schatten lagen auf dem ganzen Leben. Sie ver-
schloß das öde Haus der Tante und blieb im Flügel; der Hof überwuchs mit Gras, die Mauern,
die Rahmen der Fenster und Thüren schwärzten sich
mehr und mehr; die Vorhalle, in welcher, ewig
schlafend, einige gelbliche, mißgestaltete Hunde lagen,
wurde mit der Zeit ganz schief.

Die Bekannten und Verwandten erschienen seltner, das Haus wurde leer; sie wurde bitter darüber,
aber es gelang ihr nicht es zu ändern. Allein
übrig geblieben von ihrer ganzen Familie, fing sie
an für ihr unnützes Leben zu fürchten und unbarm-
herzig Alles von sich zu stoßen, was physisch oder
moralisch das Gleichgewicht stören, sie beunruhigen
oder erzürnen konnte. Die Vergangenheit und die
Erinnerung daran scheuend, entfernte sie alle Kleinigkeiten, die den Töchtern gehört hatten, sogar
ihre Portraits. Auch der Kakadu und der Affe des
fürstlichen Fräuleins wurden erst in das Bedienten-
zimmer, dann ganz aus dem Hause geschickt. Der
Affe erreichte sein Lebensende im Kutscherzimmer
bei dem Senator, wo er die Vorreiter amüsirte und
endlich im Knasterdampf erstickte.

Der Egoismus verhärtete das alte Herz auf
eine furchtbare Weise. Als die Krankheit ihrer letzten
Tochter einen gefährlichen Charakter annahm, über-

redete man die Mutter nach Hause zu gehen und —
sie ging. Zu Hause befahl sie sogleich verschiedene Spirituosa und Kohlblätter (um sie an die
Schläfen zur Kühlung zu binden) bereit zu halten,
damit man alles Nöthige zur Hand habe, wenn die
fürchterliche Nachricht kommen sollte. Sie
nahm weder von dem Leichnam ihres Mannes, noch
von dem ihrer Tochter Abschied, sie sah sie nach
dem Tode nicht wieder und war auch nicht bei ihrer
Beerdigung. Als später der Senator, ihr geliebter
Bruder, starb, errieth sie nach einigen Worten des
Neffen was geschehen sei und bat ihn, ihr weder
die traurige Anzeige zu machen, noch ihr die Details
seines Sterbens zu erzählen. Wie sollte man mit
solchen Maßregeln gegen das eigne Herz und mit
einem so leicht zu überredenden Herzen es nicht bis
zu achtzig, neunzig Jahren in vollkommner Gesundheit und unverwüstlicher Verdauung bringen können?
Uebrigens muß ich zur Entschuldigung der Fürstin
sagen, daß diese unnatürliche Entfernung alles
Traurigen bei den verzärtelten Aristokraten des
vorigen Jahrhunderts weit mehr noch Sitte war,
als sie es jetzt ist. Der bekannte Kauniz z. B.
verbot, als er alt wurde, streng, ihm von irgend
einem Todesfalle oder von den Blattern, welche er
sehr fürchtete, zu sprechen. Als Joseph II. starb,

wußte der Sekretair nicht, wie er Kauniß damit bekannt machen sollte und beschloß zu sagen: „Der jetzt regierende Kaiser Leopold." — Kauniß begriff und stützte sich erbleichend auf den Lehnstuhl; aber er fragte nicht weiter. Sein Gärtner vermied im Gespräch das Wort „impfen," um nicht an die Blattern zu erinnern. Den Tod seines eignen Sohnes erfuhr er gelegentlich vom spanischen Gesandten. — Und über die Strauße, welche den Kopf unter die Flügel stecken, wenn ihnen Gefahr droht, lacht man!

Zur Erhaltung der vollkommenen Ruhe errichtete die Fürstin eine besondere Polizei und vertraute das Commando derselben geschickten Händen an. Außer den Nomaden-Alten, die ihr von dem Fräulein-Fürstin geblieben waren, lebte bei der Fürstin beständig eine „Gesellschafterin." Diesen ehrenvollen Posten bekleidete eine gesunde, rothwangige Wittwe irgend eines Swenigerodschen Beamten, die stolz war auf ihren „Adel" und auf den Assessorsrang ihres verstorbenen Mannes; sie war eine zänkische und unruhige Frau, welche Napoleon den vorzeitigen Tod ihrer Kühe nie verzeihen konnte, die in dem patriotischen Kriege des Jahres 1812 umgekommen waren. Ich erinnere mich noch heute ihrer Bekümmerniß darüber, von welcher Breite sie, ihrem

Range gemäß, die Pleureusen zur Trauer um den tobten Alexander I. tragen müsse.

Diese Frau spielte eine sehr unbedeutende Rolle, so lange das fürstliche Fräulein lebte, dann aber wußte sie sich so geschickt in die Launen der Fürstin und in ihre leicht erregte Unruhe über sich selbst zu fügen, daß sie bald bei ihr denselben Platz einnahm, welchen die Fürstin früher bei der Tante inne hatte.

Trotz ihrer standesgemäßen Pleureusen aber rollte Maria Stepanowna vom Morgen bis zum Abend wie ein Ball durch das Haus; schrie, lärmte, ließ den Leuten keine Ruhe, beklagte sich über sie, stellte Untersuchungen über die Mägde an, theilte Püffe aus und zog die Knaben an den Ohren, machte die Rechnungen, lief in die Küche, lief in den Stall, scheuchte der Fürstin die Fliegen weg, rieb ihr die Beine und gab ihr Arznei ein. Für die Hausgenossen war keine Möglichkeit mehr zu der Fürstin zu kommen; diese Frau war der Arakt-schejeff, der Biron, mit einem Wort der erste Minister. Der Fürstin, welche die Etikette liebte und eine Frau, wenngleich von altmodischer, doch von Erziehung war, fiel besonders im Anfang die Wittwe mit ihrer schreienden Stimme und ihren Marktplatz-Manieren öfters lästig, aber sie gewöhnte sich daran, vorzüglich, da sie sah, daß Maria Stepanowna

die so schön nicht sehr bedeutenden Ausgaben für
das Haus noch entschieden verminderte. Für wen
die Fürstin kargte, ist schwer zu sagen, denn außer
ihren zwei Brüdern hatte sie keine nahen Angehöri-
gen, und diese Brüder waren zweimal so reich als
sie selbst.

Uebrigens langweilte sich die Fürstin nach dem
Tode ihres Mannes und ihrer Töchter eigentlich
sehr und war froh, wenn die alte Französin, die
bei ihren Töchtern Gouvernante gewesen, bei ihr
ein Paar Wochen zu Gast war, oder wenn ihre
Nichte aus Kartschewa sie besuchte. Aber Alles dies
waren nur vorübergehende, seltne Ereignisse, und
das langweilige tête-à-tête mit der Gesellschafterin
füllte die Pausen nicht aus.

Eine Beschäftigung, ein Spielzeug, eine Zerstreuung fand sich endlich ganz ungesucht nicht lange
vor dem Tode des fürstlichen Fräuleins.

Zweites Kapitel.

Die Waise.

— —

In der Mitte des Jahres 1825, als der Chemiker es übernahm, die Geschäfte seines Vaters, die
dieser in der größten Verwirrung hinterlaffen hatte,
zu ordnen, siedelte er seine Brüder und Schwestern
von Petersburg nach Schatskoe, dem Landsitz, über.
Er räumte den Geschwistern das herrschaftliche Haus
ein und sorgte für ihren Unterhalt, unterließ es
dann aber, sich ferner mit ihrer Erziehung zu beschäftigen und ihr Leben zu regeln. Die Fürstin
ging hin, um nach ihnen zu sehen. Ein Kind von
acht Jahren frappirte sie durch sein trauriges, ge-
dankenvolles Aussehen, sie setzte es in ihren Wagen, nahm es mit sich nach Hause und behielt es
bei sich.

Die Mutter war froh darüber und ging mit den anderen Kindern nach Tamboff.

Der Chemiker hatte Nichts dagegen, ihm war Alles gleichgültig.

„Erinnere dich während deines ganzen Lebens,“ sagte, als sie nach Hause fuhren, die Gesellschafterin zu dem kleinen Mädchen, „erinnere dich, daß die Fürstin deine Wohlthäterin ist und bete für die Erhaltung ihres Lebens; was würde aus dir geworden sein ohne sie?“

Und so erschien in jenem öden Hause, welches zwei ruhelose alte Frauen (die eine voller Eigenheiten und Launen, die andere, ihre unruhige Vertraute, alles Zartgefühls, alles Takts entbehrend) beherrschten, dieses Kind, losgerissen von Allen, die ihm nahe gestanden, Allem, was es jetzt umgab, fremd und nur aufgenommen aus Langerweile, wie man sich ein Hündchen nimmt, oder wie der Prinz Fedor Sergewitsch sich die Kanarienvögel hielt.

In einem langen wollenen Trauerkleide, bleichen, fast bläulichen Angesichts, saß das kleine Mädchen am Fenster, als mein Vater mich nach einigen Tagen zu der Fürstin führte. Schweigend, verwundert und erschreckt saß sie da und sah zum Fenster hinaus, als wenn sie sich fürchtete, auf etwas Anderes zu sehen.

.

Die Fürstin rief sie herbei und stellte sie meinem Vater vor. Er, immer kalt und zurückhaltend, klopfte ihr gleichgültig auf die Schulter, bemerkte, daß der verstorbene Bruder selbst nicht gewußt hätte, was er thäte, schimpfte ein wenig auf den Chemiker und sprach dann von anderen Dingen.

Das Mädchen hatte Thränen in den Augen, sie setzte sich wieder an das Fenster und fing von Neuem an hinauszusehen.

. Ein schweres Leben begann für sie. Kein herzliches Wort, kein freundlicher Blick, keine Liebkosung — neben ihr, um sie her nur fremde, alte, kalte Gesichter, hinsterbende, altersschwache Wesen. Die Fürstin war fortwährend streng, herrisch und pedantisch und hielt sich so fern von der Waise, daß es dieser nicht einfallen konnte sich zu ihr zu flüchten, sich ihr wärmer anzuschließen, sich in ihrer Nähe zu trösten oder auszuweinen. Die Gäste, die in's Haus kamen, beachteten sie nicht. Die Gesellschafterin ertrug sie wie eine Laune der Fürstin, wie einen überflüssigen Gegenstand, welcher weder nutzen noch schaden kann; sie stellte sich sogar, besonders vor Fremden, als ob sie das Kind beschütze und bei der Fürstin Fürbitte für es einlege.

Das Kind gewöhnte sich nicht an seine neuen Umgebungen und war nach einem Jahre noch eben

2 .

so fremd wie am erften Tage, nur war fie noch trauriger. Selbst die Fürftin wunderte fich über ihre „Ernfthaftigfeit" und zuweilen, wenn fie fah, daß fie ganze Stunden lang traurig an ihrem fleinen Stickrahmen faß, fragte fie fie: „Warum hörft du nicht auf und fpringft ein wenig umher?" Das Mädchen lächelte, erröthete, dankte, blieb aber auf feinem Plaße.

Und die Fürftin befümmerte fich eigentlich gar nicht um die Trauer des Kindes und that nichts zu feiner Aufheiterung.

Die Feiertage famen; anderen Kindern gab man Spielzeug, andere Kinder erzählten von ihren Vergnügungen, ihren neuen Sachen. Der armen Waife gab man nichts. Die Fürftin dachte, fie thäte schon genug für fie: fie gab ihr ja ein Obdach; war es nicht genug, daß fie Schuhe hatte, wozu auch noch Puppen? Und in der That, fie waren ihr auch nicht nöthig; fie verftand nicht zu fpielen und fie hatte Niemand, mit dem fie fpielen fonnte.

Ein einziges Wefen begriff die Lage der Waife; dies war eine alte Wärterin, welcher die Sorge für fie aufgetragen war; fie allein liebte das Kind. Zu- weilen Abends, wenn fie es ausfleidete, fragte fie es: „Mein kleines Fräulein, weshalb find Sie denn fo traurig?" Dann fiel das Mädchen ihr um den

Hals und weinte bitterlich und die Alte ging, den
Leuchter in der Hand, mit Thränen in den Augen
und den Kopf schüttelnd, hinaus.

So vergingen Jahre. Sie beklagte sich nicht,
sie murrte nicht, sie wollte nur mit zwölf Jahren
sterben. „Mir schien es immer," schrieb sie, „als sei
ich durch einen Irrthum in dieses Leben gekommen
und als würde ich bald nach Hause zurückkehren.
Aber wo war ich zu Hause? Als ich Petersburg
verließ, sah ich ein großes Schneefeld über dem
Grabe meines Vaters, meine Mutter ließ mich in
Moskau und verlor sich auf dem breiten unendlichen
Wege des Lebens — ich weinte bitterlich und betete
zu Gott, daß er mich bald zu sich nehmen möchte."

„— — Meine Kindheit war die allertraurigste
und bitterste; wie viele Thränen flossen von Nie-
manden gesehen, wie manches Mal des Nachts pflegte
ich aufzustehen und, ohne noch zu verstehen was ein
solches Gebet bedeutete, heimlich Gott zu bitten (ich
fürchtete mich sogar zu beten, wenn nicht zu der
vorgeschriebenen Zeit), daß mich doch irgend Jemand
lieben und liebkosen möge! Ich hatte keine solche
Zerstreuungen oder Spielsachen, die mich beschäftigt
und getröstet hätten; denn wenn man mir auch
manchmal etwas schenkte, so geschah es immer unter
Vorwürfen und mit der Bemerkung: „Du verdienst

dies nicht." Jeder Lappen, den ich von ihnen erhielt, kam mir theuer zu stehen. Später erhob ich
mich über diese Dinge. Die Sehnsucht nach Lernen
ergriff mich und nichts beneidete ich anderen Kindern
mehr, als den Unterricht, den sie erhielten. Viele
Leute lobten mich, fanden Fähigkeiten in mir, und
sagten mit Bedauern: „Wenn man doch Hand an
die Erziehung dieses Kindes legen wollte!" — „Ja
da solltet ihr sehen, daß etwas daraus würde," setzte
ich in Gedanken hinzu; meine Wangen brannten,
ich flüchtete mich in eine Ecke, um zu träumen, ich
sah in meiner Phantasie meine Bilder, meine Bücher, meine zukünftigen Schülerinnen — aber in
Wirklichkeit gab man mir nicht ein Blättchen Papier,
nicht einen Bleistift. Die Sehnsucht nach einer anderen, bessern Welt wuchs mehr und mehr und damit die Verachtung für mein Gefängniß und dessen
hartherzige Wärter; ich wiederholte unaufhörlich
die Verse von Tschernetz:

Das ist das Geheimniß: in meinen Frühlingstagen
    Schon kannte ich das ganze Leid des Lebens.

„Erinnerst du dich, wir waren einmal bei euch, es
ist schon lange her, noch in jenem Hause, du fragtest
mich, ob ich Kosloff gelesen habe und du recitirtest
eben diese Stelle. Ein Zittern überlief mich, ich
lächelte und konnte kaum meine Thränen zurückhalten."

Eine tiefe, traurige Note tönte beständig fort in ihrer Brust, sie verklang niemals völlig und nur zuweilen, in den hellsten Augenblicken des Lebens, schwieg sie. —

Ungefähr zwei Monate vor ihrem Tode kam sie noch einmal auf ihre Kindheit zurück und schrieb an ihre Consuelo:

„Alles um mich her war alt, häßlich, kalt, sterbend, lügnerisch; meine Erziehung fing mit Vorwürfen und Beleidigungen an und in Folge dessen mit der Entfremdung von allen Menschen, mit dem Mißtrauen gegen ihre Zärtlichkeiten, dem Abwenden von ihrer Theilnahme, dem Zurückziehen in mich selbst.“—

Aber zu solch einem Zurückziehen in sich selbst muß man nicht nur eine außerordentliche Tiefe der Seele haben, in die man frei hinabtauchen kann, sondern auch eine unerschütterliche Stärke der Selbstständigkeit und Unabhängigkeit. Sein eignes Leben in unangenehmen, niedrigen, bedrückenden und unabwendbaren Verhältnissen zu leben, das können nicht Viele. Das eine Mal erträgt es der Geist nicht, das andere Mal geht der Körper dabei zu Grunde.

Das Verwaistsein und die rauhe Behandlung in so zartem Alter ließen schwarze Schatten in der Seele zurück, die sich nie völlig verwischten.

„Ich erinnere mich nicht," schrieb sie im Jahre 1837, „wann ich frei und von Herzen das Wort: „Mutter" ausgesprochen, wann ich mich sorglos und Alles vergessend Jemand an die Brust geworfen hätte. Mit acht Jahren, Allen ein Fremdling, liebte ich meine Mutter wohl, — aber wir kannten einander nicht."

Wenn man auf die bleiche Farbe des zwölfjährigen Mädchens sah, auf ihre großen Augen, die von dunkeln Schatten umgeben waren, auf ihre Hinfälligkeit und Erschöpfung, auf ihre fortwährende Traurigkeit, so schien es Vielen, daß sie eines der auserwählten frühen Opfer der Auszehrung sein werde, jener Opfer, die von Kindheit an durch den Finger des Todes mit dem besondern Zeichen der Schönheit und der frühzeitigen Geistesentwicklung bezeichnet sind. „Es kann sein," sagte sie, „daß ich diesen Kampf nicht ausgehalten hätte, wäre ich nicht durch unser Begegnen gerettet worden!"

Und ich erkannte und errieth sie erst so spät!

Bis 1834 verstand ich es noch keineswegs, diese reiche Existenz, die sich neben mir entfaltete, zu schätzen, obgleich schon neun Jahre vergangen waren seit der Zeit, wo die Fürstin sie im langen wollenen Kleide meinem Vater vorgestellt hatte. Dies ist jedoch nicht schwer zu erklären. Sie war scheu,

ich zerstreut; mir that das Kind leid, welches immer
so traurig und allein am Fenster saß, aber wir sahen
uns nicht sehr oft. Ich ging selten und jedesmal
wider Willen zu der Fürstin; noch seltener führte
die Fürstin sie zu uns. Die Besuche der Fürstin
brachten überdies beinahe immer einen unangeneh=
men Eindruck hervor, sie zankte sich gewöhnlich um
irgend einer Lappalie willen mit meinem Vater und
wenn sie sich zwei Monate lang nicht gesehen hat=
ten, sagten sie sich Bitterkeiten, die sie unter zärtlichen
Ausdrücken versteckten, gleich dem Zuckercandis, mit
dem man eine widerwärtige Medicin bedeckt. „Mein
Schatz,“ sagte die Fürstin; „meine Gute,“ sagte
mein Vater und dann nahm der Streit seinen re=
gelmäßigen Verlauf. Wir waren immer froh, wenn
sie wieder wegging. Außerdem muß man nicht ver=
gessen, daß ich ganz hingenommen war von politi=
schen Träumen und von den Wissenschaften: bis zum
Gefängniß lebte ich einzig der Universität und den
Cameraden.

Aber wovon lebte sie, außer ihrem Kummer,
in diesen langen, traurigen neun Jahren, umgeben
von dummen, bigotten Weibern, hochmüthigen Ver=
wandten, langweiligen Mönchen, dicken Popenfrauen,
einer sie heuchlerisch beschützenden Gesellschafterin,
und beschränkt auf das Haus, aus dem sie niemals

weiter hinaus kam als in den mit Gras bewachse=
nen, traurigen Hof und den kleinen Garten bei dem
Hause? Aus dem Vorhergehenden ist es schon klar
geworden, daß die Fürstin sich nicht sehr um die
Erziehung des von ihr angenommenen Kindes be=
kümmerte. Nur den moralischen Theil desselben lei=
tete sie selbst; dieser Unterricht bestand aber aus
ganz äußerlichen Vorschriften und aus der Ent=
wicklung eines ganzen Systems von Heuchelei. Vom
frühen Morgen an mußte das Kind nach der Dres=
sur geschnürt und gekämmt sein; dies hätte sein
mögen, wenn man nur nicht so unvernünftig gewesen
wäre, dieses Schnüren bis zu einem Grade zu trei=
ben, daß es der Gesundheit nachtheilig werden
mußte. Und die Fürstin schnürte mit dem Körper
auch die Seele ein; sie unterdrückte jedes aufrichtige,
herzliche Gefühl, sie verlangte ein Lächeln und fröh=
liches Aussehn, wenn das Kind traurig war, freund=
liche Worte, wenn es hätte weinen mögen; den
Schein des Antheils an gänzlich gleichgültigen Din=
gen — mit einem Wort, eine beständige Lüge.

Im Anfange lehrte man das arme Kind gar
nichts unter dem Vorwande, daß frühes Lernen
schädlich sei; dann, nach drei oder vier Bemerkungen
des Senators und sogar fremder Menschen, die sie
denn doch ärgerten, entschloß sich die Fürstin den

Unterricht zu beginnen, dachte aber gleich daran, wie dies am wohlfeilsten einzurichten sei.

Sie bediente sich zu diesem Zwecke der alten Gouvernante, welche sich ihr verpflichtet glaubte und sich zuweilen Gefälligkeiten von ihr erbat; dafür wurde der französische Unterricht bis zur äußersten Wohlfeilheit heruntergedrückt, und natürlich wurde dann auch à batons rompus unterrichtet.

Mit dem russischen Unterricht wurde es ebenso gemacht; für diesen, und für alles Uebrige, wurde der Sohn einer Popenwittwe, welche von der Fürstin „mit Wohlthaten überhäuft" worden war — natürlich ohne besondere Vergütung, engagirt. Durch ihre Verwendung bei dem Metropoliten waren zwei andere Söhne der Popenfrau Geistliche an der Kathedrale geworden. Der Lehrer war der älteste Bruder; Diakonus einer armen Gemeinde, belastet mit einer großen Familie — ging er unter in Dürftigkeit, war zufrieden mit jedem Preis und wagte es nicht, der Wohlthäterin der Brüder Bedingungen zu machen.

Was konnte erbärmlicher und ungenügender sein als eine solche Erziehung? Und dennoch ging Alles gut und brachte erstaunenswerthe Früchte; — so wenig ist nöthig zur Entwicklung, wo etwas zu entwickeln ist.

Der arme, magere, lange, kahlköpfige Diakonus war einer von jenen enthusiastischen Träumern,
welche weder durch die Jahre, noch durch die Armuth
curirt, im Gegentheil durch das Elend in ihren my-
stischen Anschauungen noch bestärkt werden. Sein
Glaube ging bis zum Fanatismus, er war aufrichtig und nicht ohne poetische Färbung. Zwischen ihm,
dem Vater einer hungrigen Familie und der Waise,
die fremdes Brod aß, bildete sich sogleich ein geheimes Verständniß.

Im Hause der Fürstin wurde der Diakonus so
behandelt, wie ein schutzloser Mensch und noch dazu
ein demüthiger Bettler gewöhnlich behandelt wird;
man grüßte ihn kaum, man würdigte ihn kaum
eines Wortes. Sogar die Gesellschafterin begegnete
ihm geringschätzig; aber er bemerkte weder sie selbst
kaum, noch ihr Benehmen, gab seine Stunden mit
Liebe, war gerührt von dem Fassungsvermögen der
Schülerin und verstand es, dieselbe bis zu Thränen
zu rühren. Dies konnte die Fürstin nicht leiden,
sie verwies dem Kinde seine „Weinerlichkeit" und
war sehr unzufrieden, daß der Diakonus die Nerven
desselben so sehr angreife.

„Das ist denn doch zu viel! Das taugt gar
nichts für Kinder!"

Inzwischen eröffneten die Worte des Alten vor

dem jungen Wesen eine neue Welt, ihr tausendmal
sympathischer als jene, in welcher selbst die Religion
zu einer Küchenregel, d. h. zur Beobachtung der
Fasten, erniedrigt wurde, und in den Kirchenbesuchen,
besonders bei Nacht — wo der Aberglaube, von der
Furcht entwickelt, zusammenging mit dem Betrug, wo
Alles beschränkt, falsch, gleißnerisch war und die Seele
mit seiner Enge erdrückte — bestand. Der Diakonus gab seiner Schülerin das Evangelium in die
Hände und sie ließ es lange Zeit nicht wieder von
sich. Das Evangelium war das erste Buch, welches sie las und wieder las, mit ihrer einzigen Ge-
spielin Sascha, der Nichte der Amme, einem jungen
Kammermädchen der Fürstin.

Ich kannte Sascha später sehr gut. Wo und
wie sie es verstanden sich auszubilden, geboren unter
Kutschern und Köchinnen und niemals aus dem
Mägdezimmer herausgekommen, das konnte ich nie
begreifen; aber sie war in ungewöhnlichem Grade
entwickelt. Sie war eins von jenen unschuldi-
gen Opfern, welche unbemerkt, und öfter als wir
denken, in dem Gesindezimmer, von den Zuständen
der Leibeigenschaft erdrückt, untergehen. Sie gehen
nicht nur ohne jeden Ersatz, ohne alles Mitgefühl,
ohne einen lichten Tag, ohne freundliche Erinnerungen unter, sondern sie wissen selbst nicht, sie ahnen

nicht, was in ihnen untergeht, wie viel in ihnen
stirbt.

Die Herrin sagt mit Zorn: „Eben fing das
Mädchen an den Dienst zu lernen, da legt sie sich
hin und stirbt!" — Die siebzigjährige Haushälterin
murmelt: „Was das heut zu Tage für Diener sind,
schlechter als die Damen selbst!" und wendet sich zu
ihrem Reis für die Todtenfeier.*) Die Mutter weint
— weint — und fängt an sich zu betrinken. Damit
ist die Sache abgemacht.

Und wir gehen eilig vorüber und sehen diese
schrecklichen Geschichten, die sich zu unsern Füßen
begeben, beinahe nicht; wir glauben uns frei davon
zu machen mit ein paar Rubeln und einigen freund-
lichen Worten! Plötzlich aber hören wir, erschreckend,
einen fürchterlichen Seufzer, der von einer in Ewig-
keit zertretenen Seele erzählt, und wir fragen ganz
verwirrt: woher kam dieser Seele diese Kraft?

Die Fürstin mordete ihr Kammermädchen, natürlich nicht mit Willen, sondern unbewußt, aber
doch thatsächlich, indem sie dieselbe mit Kleinigkeiten
abmattete, mit fortwährenden Plackereien so lange
an ihr bog, bis sie zerbrach, und sie durch Erniedrigun-

---

*) Bei Begräbnissen wird Reis und Grütze gekocht und von
den Leidtragenden gegessen.

gen, durch grobe, dumme Zumuthungen zu Tode marterte. Während einiger Jahre erlaubte sie ihr nicht sich zu verheirathen und gab es erst dann zu, als sie die Auszehrung auf ihrem leidenden Gesichte sah.

Arme Sascha, armes Opfer des verabscheuungswürdigen, verfluchten russischen Lebens, das entehrt ist durch die Leibeigenschaft — der Tod führte dich zur Freiheit! Und du warst noch unendlich glücklicher als Andere! In dem finstern Gefängniß des fürstlichen Hauses begegnetest du einer Freundin, welche dich so grenzenlos liebte, daß ihre Freundschaft dich noch, dir unbewußt, über das Grab hinaus begleitete. Wie viele Thränen hast du ihr gekostet! Nicht lange vor ihrem Tode gedachte sie noch deiner und segnete dein Andenken als das einzige lichte Bild, das ihr in ihrer Kindheit erschienen war.

Die zwei jungen Mädchen (Sascha war die Aeltere) standen früh am Morgen auf, wenn noch Alles im Hause schlief, lasen im Evangelium und gingen in den Hof, um unter dem reinen Morgenhimmel zu beten. Sie beteten für die Fürstin, für die Gesellschafterin, sie baten Gott ihre Seelen zu erleuchten. Sie erfanden sich Prüfungen, aßen ganze Wochen lang kein Fleisch, träumten vom Kloster und vom Leben nach dem Tode.

Ein folcher Mysticismus paßt zu kindlichen Zügen, zu dem Alter, wo noch Alles Geheimniß und religiöses Mysterium ist, wo der erwachende Gedanke noch nicht klar hervorblitzt aus den Morgennebeln und der Nebel noch nicht zertheilt ist durch Erfahrung oder Leidenschaft.

Später liebte ich es sehr, in ruhigen, stillen Augenblicken den Erzählungen von diesen kindlichen Gebeten, mit welchen sich ein reiches Leben anfing und eine unglückliche Existenz endete, zuzuhören. Die Bilder der Waise, die beleidigt wird durch grobe Wohlthaten, und der Sclavin, die gequält ist von der Unentrinnbarkeit ihrer Lage — betend auf dem einsamen Hofe für ihre Unterdrücker, füllten das Herz mit Rührung und brachten eine seltsame Ruhe über die Seele.

Diese reine und graziöse Erscheinung, von Niemandem in dem fürstlichen Hause geschätzt, die ihr nahe standen, erwarb sich dagegen, außer der Liebe des Diakonus und Sascha's, auch noch die Liebe und Anhänglichkeit der ganzen Dienerschaft. Diese einfachen Leute sahen in ihr mehr als blos die gute, freundliche Herrin, sie erriethen in ihr etwas Höheres, vor dem sie sich beugten, an das sie glaubten. Wenn eine Braut unter den Dienstboten im fürstlichen Hause war, bat sie das Fräulein, ihr eine

Schleife oder ein Band anzustecken, ehe sie in die Kirche ging. Ein junges Dienstmädchen, ich erinnere mich, daß sie Helene genannt wurde, wurde plötzlich von Seitenstechen befallen, es zeigte sich eine starke Pleureste, und da keine Hoffnung war, sie zu retten, schickte man zum Popen. Das erschrockene Mädchen fragte die Mutter, ob sie sterben müsse; die Mutter sagte ihr weinend, daß Gott sie bald zu sich rufen werde. Darauf warf sich das kranke Mädchen ihrer Mutter zu Füßen und bat sie mit heißen Thränen, zur jungen Herrin zu gehen und sie zu bitten, daß sie zu ihr kommen und sie mit dem Heiligenbild für jene Welt einsegnen möge. Als sie kam, nahm die Kranke ihre Hand, legte sie auf ihre Stirn und sagte mehrere Male: „Beten Sie für mich, beten Sie!" Das junge Mädchen, in Thränen zerfließend, fing an halblaut zu beten; die Kranke starb während ihres Gebets. Alle, die im Zimmer waren, lagen im Kreise umher auf den Knien und bekreuzten sich; sie drückte der Todten die Augen zu, küßte die erkaltende Stirn und ging hinaus. *)

---

*) Unter meinen Papieren finden sich einige Briefe von Sascha, in den Jahren 1835 — 1836 geschrieben. Sascha war in Moskau geblieben und ihre Freundin war mit der Fürstin auf dem Lande. Ich kann dieses einfache und enthusiastische

Herzen, Gedachtes und Erlebtes.   3

Trockne und dürftige Naturen kennen diese romantische Periode des Lebens nicht; sie sind ebenso
zu bedauern wie die schwachen und kränklichen Wesen, bei denen der Mysticismus die Jugend überlebt
und für immer bleibt. In unserem Zeitalter der
realistischen Menschen kann das auch kaum der Fall
sein; aber woher sollte der weltliche Einfluß des
neunzehnten Jahrhunderts in das Haus der Fürstin
dringen, das so gut dagegen verwahrt war?

Die Spalte fand sich aber doch.

Die Cousine von Kortscheffska kam zuweilen,
um die Fürstin zu besuchen, sie liebte die „kleine Cousine," wie man Kinder liebt, besonders unglückliche,
aber sie erkannte sie nicht. Mit Erstaunen, ja bei-

Herzenslallen nicht ohne tiefe Rührung lesen. — „Ist es
möglich," schreibt sie, „daß Sie wiederkommen? Ach wenn Sie
in der That wiederkommen, so weiß ich gar nicht, wie mir
sein wird. Sie können es nicht glauben, wie oft ich an Sie
denke, beinahe alle meine Wünsche, alle meine Gedanken,
Alles, Alles, Alles ist in Ihnen. — Ach Natalia Ale-
zandrowna, wie schön, wie gut, wie hoch sind Sie! wie —
ach ich kann es nicht ausdrücken! Dies sind auch keine auswendig gelernten Worte, sie kommen gerade aus dem Herzen." —
In einem andern Briefe dankt sie ihr dafür, daß die Herrin ihr so oft schreibt. „Das ist schon zuviel," schreibt sie,
„übrigens das sind Sie, Sie," und sie schließt mit den Worten: „Alle stören mich, ich umarme Sie, mein Engel, mit aller aufrichtigen, unermeßlichen Liebe. Segnen Sie mich!"

nahe mit Bestürzung sah sie in der Folge diese un-
gewöhnliche Natur und, rasch wie sie in Allem war,
beschloß sie sogleich ihre Unaufmerksamkeit gut zu
machen. Sie erbat sich von mir V. Hugo, Balzac,
oder im Allgemeinen etwas Neues. „Die kleine
Cousine ist ein geniales Wesen," sagte sie mir, „wir
müssen ihr vorwärts helfen!"

Die „große" Cousine — an diese Benennung kann
ich nicht ohne Lächeln denken, denn sie war sehr klein
— theilte ihrer Novize Alles mit, was in ihrer eigenen
Seele gährte: Schiller'sche und Rousseau'sche Ideen,
revolutionaire Gedanken, die sie von mir hatte und die
Träume verliebter Mädchen, die sie von sich selber hatte.
Darauf gab sie ihr insgeheim französische Romane,
Verse, Gedichte. Dies waren zum größten Theil Bücher, die um das Jahr 1830 herausgekommen waren.
Sie regten, trotz aller ihrer Mängel, doch das
Denken mächtig an und durchzuckten das junge
Herz mit Feuer und Geist. In den Romanen und
Erzählungen, in den Gedichten und Gesängen jener Zeit, gleichviel ob ihre Autoren sich dessen be-
wußt waren oder nicht, pulste doch überall auf's
stärkste die sociale Ader; überall wurden in ihnen
die gesellschaftlichen Wunden blosgelegt, fortwährend
hörte man das Stöhnen der vom Hunger Gequäl-
ten, der zu den Galeeren der Arbeit unschuldig Ver-

3*

urtheilten; damals fürchtete man diese Seufzer, dieses Murren noch nicht wie ein Verbrechen! Es versteht sich von selbst, daß die Cousine diese Bücher
ohne jede Kritik, ohne irgendwelche Erklärungen
hingab und ich glaube, daß dies nicht schlecht war;
es giebt Organisationen, welchen fremde Hülfe nicht
nöthig ist, welche keiner Stütze, keines Fingerzeigs
bedürfen, welche da immer besser gehen, wo keine
Geländer sind, um sich daran zu halten.

Zuletzt kam noch ein anderes Wesen hinzu,
welches den weltlichen Einfluß der Kortscheffskischen
Cousine fortsetzte. Die Fürstin entschloß sich endlich eine Gouvernante zu nehmen und, um sie nicht
zu theuer bezahlen zu müssen, nahm sie ein junges
russisches Mädchen, die nur eben aus dem Institut
gekommen war.

Die russischen Gouvernanten sind bei uns sehr
billig, wenigstens war es so in den dreißiger Jahren;
aber bei allen Mängeln sind sie doch viel besser als
die Mehrzahl der Französinnen aus der Schweiz,
diese „auf das Unbestimmte verabschiedeten" Loretten und entlassenen Comödiantinnen, welche sich aus
Verzweiflung auf die Erziehung werfen, als auf das
letzte Mittel das tägliche Brod zu erwerben, ein
Mittel, für welches weder Talent noch Jugend nöthig ist, sondern nur die gehörige Aussprache des

„grrra" und die Manieren einer dame du comptoir,
welche man bei uns in der Provinz häufig für
„gute" Manieren nimmt. Die russischen Gouvernanten werden aus den Instituten oder Erziehungs-
häusern genommen, und haben immerhin Alle eine
Art von regelmäßiger Erziehung genossen, und nicht
diesen bourgeoisen pli, den man von den Fremden
fordert.

Die heutigen französischen Erzieherinnen muß
man übrigens nicht mit denen verwechseln, welche
bis zum Jahre 1812 nach Rußland gingen. Damals war Frankreich weniger bourgeois und die Erzieherinnen, die herüberkamen, waren aus einer ganz
anderen Schicht der Gesellschaft. Sie waren zum
Theil Töchter von Emigranten, von exilirten Aristokraten, oder Wittwen von Officieren, oft auch deren
verlassene Frauen. Napoleon verheirathete seine Krieger in der Art, wie unsere Gutsbesitzer ihre Leib-
eigenen verheirathen, ohne sich viel um Liebe oder
Neigung zu bekümmern. Er wollte durch diese Ehen
seine neue Aristokratie des Pulvers mit der alten
Aristokratie vereinen. Er wollte seine Skalosups *)
durch die Frauen aus dem Groben heraushauen. An
blinden Gehorsam gewöhnt, verheiratheten sie sich

---

*) Eine Person aus einer Comödie von Griboedoff.

ohne Widerspruch, entledigten sich ihrer Frauen aber
bald, da sie sie viel zu geziert fanden für ihre Kasernen = und Bivouaks-Abendgesellschaften. Die armen Frauen überschwemmten England, Oestreich,
Rußland. Unter diese Zahl gehörte auch die Gouvernante, welche bei der Fürstin gastirte. Sie sprach
beständig mit einem Lächeln, im ausgewählten Styl
und gebrauchte niemals einen starken Ausdruck, war
ganz aus guten Manieren zusammengesetzt und vergaß sich nicht einen Moment. Ich bin überzeugt,
daß sie Nachts im Bett sich mehr mit dem Unterricht über das anständige Schlafen beschäftigte, als
mit dem Schlafen selbst.

Die junge Erzieherin war ein verständiges, küh-
nes, energisches Mädchen, mit einem Zusatz von Pen-
sions-Begeisterung und eingebornem edeln Gefühl.
Thätig und lebhaft, brachte sie in die Existenz ihrer
Schülerin-Freundin Leben und Bewegung.

Die melancholische, schwermüthige Freundschaft
mit der hinsterbenden Sascha hatte eine traurige,
düstere Wirkung. Vereint mit den Worten des Diakonus und dem Mangel an jeder Zerstreuung, entfernte sie das junge Mädchen von der Welt und den
Menschen. Das dritte Wesen, welches nun hinzu-
kam, lebendig, fröhlich, jung und dabei doch empfänglich für alle romantischen Träume, war daher

sehr am Plaß; es zog sie zurück auf die Erde, auf
den Boden der Wirklichkeit und Wahrheit.

Im Anfange nahm die Schülerin einige äußere
Formen von Emilie an; es zeigte sich öfters ein
Lächeln, das Gespräch wurde belebter u. s. w.; aber
nach Verlauf eines Jahres ungefähr hatten die Naturen der zwei Mädchen die rechte Stellung eingenommen. Die zerstreute, liebenswürdige Emilie
beugte sich vor der stärkeren Individualität und ordnete sich der Schülerin völlig unter, sah mit ihren
Augen, dachte mit ihren Gedanken, und lebte von
ihrem Lächeln, von ihrer Freundschaft.

Gegen das Ende des Cursus ging ich öfter in
das Haus der Fürstin. Das junge Mädchen schien
sich darüber zu freuen, zuweilen entzündete sich das
Feuer auf ihren Wangen und ihre Rede belebte
sich, — aber bald kehrte sie zu ihrer gewöhnlichen,
gedankenvollen Ruhe zurück, in der sie der kalten
Schönheit des Marmors oder dem Schillerschen
„Mädchen aus der Fremde“ glich, die jede Annähe-
rung zurückweisen.

Der Grund hiervon war aber weder Zurückhaltung, noch Kälte, sondern die innere Arbeit, welche
ihr selbst ebensowohl ein Geheimniß war, als Anderen; sie ahnte mehr als daß sie es wußte, was
in ihr war. In ihren schönen Zügen lag etwas

Unfertiges, nicht Ausgesprochenes; es fehlte ihnen ein Funke, ein letzter Schlag des Meißels, der entscheiden mußte, ob sie ermüdet, unbekannt mit sich und dem Leben, auf dem dürren Boden verwelken, oder ob sie dereinst den Feuerschein der Leidenschaft wiederstrahlen und, von ihr erfaßt, leben würde, wahrscheinlich, ja sogar gewiß, um zu leiden, aber doch leben, viel leben!

Den Stempel dieses Lebens sah ich zum ersten Mal am Vorabend einer langen Trennung auf ihrem, noch halb kindlichen Gesicht hervortreten.

Ich erinnere mich dieses Blicks noch wie heute, der plötzlich alle Züge des Mädchens erleuchtete und ihnen eine ganz andere Bedeutung gab, als vorher, als wenn sie von einem einzigen Gedanken, einem verborgenen Feuer durchblitzt wären, — als wenn das Geheimniß enthüllt, der innere Schleier zerrissen sei. Es war im Gefängniß. Zehnmal sagten wir uns Lebewohl und konnten doch nicht scheiden; endlich stand meine Mutter, welche Natalie nach dem Gefängniß begleitet hatte, auf, um zu gehen. Das junge Mädchen erbebte, erbleichte, nahm meine Hand fest in die ihrige und flüsterte, indem sie sich abwandte, um die Thränen zu verbergen: „Alexander, vergiß die Schwester nicht!" Der Gendarme führte sie hinaus und ging dann wieder ruhig auf und ab; ich aber warf mich auf das Bett und sah lange, lange nach der Thür, durch welche diese Lichterscheinung verschwunden war. „Nein, dein Bruder wird dich nicht vergessen," dachte ich.

Am folgenden Tage wurde ich nach Perm abgeführt. Aber ehe ich von der Trennung spreche, muß ich noch sagen, was mich vor meiner Gefangenschaft verhinderte, Natalie besser kennen zu lernen, mich ihr mehr zu nähern. — Ich war verliebt!

Ja, ich war verliebt und die Erinnerung an diese reine, jugendliche Liebe ist mir theuer, wie die Erinnerung an einen Gang im Frühling am Ufer des Meeres, zwischen Blumen und Gesängen. Es war ein Traum, der viel Schönes versprach und dann verschwand, wie die Träume zu verschwinden pflegen!

Ich sagte schon früher, daß es nur wenige Frauen in unserm Kreise gab, besonders in demjenigen, in welchem ich mich bewegte; meine Freundschaft mit der Kortscheffskischen Cousine begann flammend heiß und nahm nach und nach einen ruhigeren Charakter an; nach ihrer Verheirathung sahen wir uns nur noch selten, darauf zog sie ganz weg. Das Bedürfniß eines wärmeren, zärtlicheren Gefühls als das unserer männlicher Freundschaften gährte unbestimmt im Herzen. Alles war vorbereitet, nur „sie" fehlte.

In einem der mir bekannten Häuser war ein junges
Mädchen, mit dem ich mich schnell befreundete; ein
sonderbarer Zufall näherte uns einander. Sie war
verlobt; plötzlich erhob sich ein Streit, ihr Verlob-
ter verließ sie und ging nach einem entfernten Theile
Rußlands. Sie war in Verzweiflung, erzürnt und
beleidigt. Ich sah mit aufrichtigem und tiefem Mitgefühl, wie der Kummer sie verzehrte; ich wagte
nicht von dem Grunde desselben zu sprechen, aber
ich suchte sie zu zerstreuen, zu trösten; ich brachte
ihr Romane, las ihr selbst laut vor, erzählte ihr
ganze Geschichten und versäumte mehrere Male mich
auf meine Collegien vorzubereiten, um nur länger
bei dem trauernden Mädchen bleiben zu können.

Nach und nach trockneten ihre Thränen, von
Zeit zu Zeit blitzte ein Lächeln aus ihren Augen.
Ihre Verzweiflung verwandelte sich in schmachtende
Trauer; bald wurde ihr die Erinnerung an ihre
Vergangenheit peinlich, sie kämpfte mit sich selbst
und hielt nur aus einem inneren point d'honneur
daran fest, wie der Krieger bei der Fahne bleibt,
obgleich er weiß, daß die Schlacht verloren ist. Ich
sah diese letzten Wolken kaum noch sichtbar am
Horizont verschwinden; selbst hingerissen, mit klopfen-
dem Herzen, entwand ich die Fahne leise, leise ihrer
Hand und — als sie aufhörte sie festzuhalten —

war ich verliebt. Wir glaubten an unsere Liebe. Sie schrieb mir Verse, ich schrieb ihr ganze Abhandlungen in Prosa und dann träumten wir zusammen von der Zukunft, vom Exil, von Kasematten — sie war auf Alles gefaßt. Die äußere Seite des Lebens zeichnete sich niemals günstig in unseren Phantasien, auserkoren zum Kampf mit der monstruösen Uebermacht, hielten wir den Erfolg beinahe für unmöglich. „Du wirst meine Gaetana sein," sagte ich ihr, als wir den „Verstümmelten" von Santin lesen, und ich stellte mir vor, wie sie mich in die sibirischen Bergwerke begleiten würde.

„Der Verstümmelte" war jener Dichter, welcher ein Pasquill auf Sixtus V. geschrieben hatte und sich dem Pabste auslieferte, als dieser sein Wort gab, ihn nicht mit dem Tode strafen zu wollen. Sixtus befahl ihm die Hände und die Zunge abzuschneiden. Das Bild des unglücklichen Dulders, der unter der Fülle der eignen Gedanken erlag, die sich in seinem Kopfe drängten und keinen Ausweg finden konnten, mußte uns gefallen. Der traurige, müde Blick des Leidenden beruhigte sich nur, wenn er mit Dankbarkeit und einem Rest von Freude auf dem Mädchen verweilte, welches ihn vorher geliebt und ihn nicht verlassen hatte im Unglück; sie wurde Gaetana genannt.

Dieser erste Versuch in der Liebe verging schnell, aber er war vollkommen aufrichtig. Es kann sein, daß er sogar so schnell vergehen mußte, damit diese Liebe ihren schönen, duftigen Hauch, ihren neunzehnjährigen Charakter, ihre unbefleckte Frische erhalten konnte. Maiblumen können ja nicht überwintern!

Und nicht wahr, meine Gaetana, auch du gedenkst mit heiterem Lächeln unserer Begegnung? Kein bittres Gefühl beschleicht dich bei der Erinnerung an mich nach diesen zweiundzwanzig Jahren? Es würde mir sehr leid sein, wenn es anders wäre. Und wo bist du? wie hast du gelebt?

Ich lebte bis hierher und steige nun bergab, gebrochen und moralisch „verstümmelt;" ich suche keine Gaetana mehr; ich durchsuche das Vergangene und begegne darin mit Freuden deinem Bilde. Erinnerst du dich des Eckfensters, gegenüber einer kleinen Allee, durch welche ich kommen mußte? Du pflegtest an demselben zu stehen, wenn du mich erwartetest und wie traurig war ich, wenn du nicht dort standest oder schon wieder weggegangen warst, ehe ich um die Ecke kam!

Doch dir in Wirklichkeit wiederbegegnen möchte ich nicht. Wie du in meiner Erinnerung lebst mit deinem jugendlichen Gesicht und deinen Locken,

blond-cendré, so sollst du bleiben; ja und auch du,
wenn du meiner gedenkst, so erinnere dich nur des
schlanken Jünglings mit dem offnen Blick, mit der
feurigen Rede und erfahre nie, daß der Blick sich
trübte, daß ich schwerfällig geworden bin, daß Falten die Stirn durchziehen, daß längst der frische
und belebte Ausdruck des Gesichts, den N. „den
Ausdruck der Hoffnung" nannte, vergangen, ja daß
selbst die Hoffnung verschwunden ist.

Wir wollen Einer für den Andern bleiben wie
wir damals waren — — weder Achill noch Diana
altern je — — ich möchte dir nicht begegnen wie
Larin der Fürstin Alina begegnete:

> Cousine, gedenkst du Grandisons? —
> Wie, Grandison? — Ah, Grandison!
> In Moskau ja, bei Simeon;
> Zu Weihnachten besuchte er mich —
> Sein Sohn verheirathete unlängst sich.

Die letzte Flamme der erlöschenden Liebe flackerte
auf in dem Augenblick, als die Thür des Gefängnisses sich hinter mir schloß, sie erwärmte die Brust
mit den vorigen Träumen. Darnach ging Jeder
von uns seinen Weg, sie in die Ukraine, ich in die
Verbannung. Ich habe nie wieder von ihr gehört.

———

Drittes Kapitel.

Trennung.

———

„Ach Leute, böse Leute,
Ihr trenntet ihre —"

So endigte sich mein erster Brief an Natalie und es ist zu bemerken, daß, erschreckt von dem Wort „Herzen," ich es nicht hinschrieb, sondern den Brief nur: „Dein Bruder" unterzeichnete.

Wie theuer mir schon damals meine Schwester war und wie unaufhörlich meiner Seele gegenwärtig, geht daraus hervor, daß ich ihr gleich aus Nischni, dann aus Kasan und am nächsten Tage nach meiner Ankunft aus Perm schrieb. Das Wort Schwester drückte Alles aus, was damals in unserer Sympathie zum Bewußtsein gekommen war; es gefiel mir ungemein und gefällt mir noch jetzt, wenn man es nicht als eine Gränze, sondern als das Aufheben jeder Gränze nimmt, als das Gefühl, das Freundschaft, Liebe, Verwandtschaft, gemeinsame Traditionen, Bilder gemeinsamer Umgebungen, die unzertrennlichen Bande der Gewohnheit — kurz Alles — umschließt. Ich hatte früher noch nie Jemand mit diesem Namen genannt und er war mir so theuer, daß ich Natalie auch in der Folge öfters so nannte.

Bevor ich jedoch unser Verhältniß völlig klar übersah, vielleicht gerade weil ich noch nicht im Klaren darüber war, erwartete mich noch eine Prüfung, welche nicht eine solche freundliche Erinnerung hinterließ wie die Begegnung mit Gaetana, eine Prüfung, welche mich demüthigte, viele Thränen kostete und mir Schmerz und innere Unruhe verursachte.

Noch sehr wenig erfahren im Leben und in eine mir völlig fremde Welt geworfen, nachdem ich neun Monate im Gefängniß zugebracht hatte, lebte ich Anfangs zerstreut in den Tag hinein; das neue Land, das neue Leben verwirrten meinen Blick. Meine gesellschaftliche Stellung war ganz verändert. In Perm, in Wiatka sah man mich mit ganz andern Augen an als in Moskau; dort war ich ein junger Mann, der im väterlichen Hause lebte, hier, in diesem Sumpfe, stand ich auf eignen Füßen und wurde für einen Beamten genommen, obwohl ich

keiner war. Ich errieth bald, daß ich in den pro-
vinzialen Salons ohne große Mühe die Rolle des
Weltmanns spielen und der Löwe der Wiatkaer
Gesellschaft werden könnte.

In Perm ward ich nicht bekannt; da fragte
mich nur die Frau, von der ich ein Quartier mie-
thete, ob ich auch einen Küchengarten brauche, und
ob ich eine Kuh hielte? — eine Frage, die mich mit
Schrecken belehrte, wie tief ich von der akademischen
Höhe des Studentenlebens heruntergefallen war.
Aber in Wiatka machte ich mit aller Welt Bekanntschaft, besonders mit den jungen Kaufleuten, welche
viel gebildeter sind als die Kaufmannschaft der inneren Provinzen, obgleich sie das Zechen nicht weniger lieben, als Jene. Verwirrt in meinen Beschäftigungen durch die Arbeit in der Kanzelei,
führte ich ein unruhig-müßiges Leben; bei der besonderen Empfänglichkeit oder, um es besser zu sagen, leichten Erregbarkeit meines Temperaments
und bei dem Mangel an Erfahrung, kann man
sich leicht vorstellen, daß ich in alle Arten von
Collisionen kam.

Ich suchte nach rechts und nach links zu ge-
allen, ohne viel zu fragen: wem; fand Sympathien
auf, befreundete mich nach den ersten zehn Worten,
näherte mich mehr als nöthig war, erkannte meinen

Irrthum nach zwei oder drei Monaten, schwieg aus
Zartgefühl und schleppte die langweiligen Fesseln
unwahrer Beziehungen bis zu der Zeit, wo sie durch
einen dummen Zank zerrissen wurden, in welchem
man mich der Launenhaftigkeit, der Unduldsamkeit,
der Undankbarkeit und Unbeständigkeit anklagte.

Ich lebte in Wiatka anfänglich nicht allein.
Die sonderbare und komische Figur, die sich von
Zeit zu Zeit auf allen Uebergängen meines Lebens,
bei allen schweren Ereignissen desselben zeigte, die
Figur, welche ertrinken mußte, damit ich mit N.
bekannt wurde und die mit dem Foulard-Taschen-
tuch von russischem Boden aus winkte, als ich die
Grenze bei Tauroggen überfuhr — mit einem Wort,
K. J. Sonnenberg lebte mit mir in Wiatka, was
ich zu bemerken vergaß, als ich von meinem Exil
schrieb.

Dies kam so: zu derselben Zeit, als man mich
nach Perm sandte, bereitete sich Sonnenberg vor
auf die Messe von Irbit zu gehen. Mein Vater,
der es stets liebte einfache Dinge zu verwickeln,
schlug Sonnenberg vor nach Perm zu gehen und
daselbst mein Haus einzurichten; dafür nahm
er die Reisekosten auf sich.

In Perm begab sich Sonnenberg mit Eifer an
die Arbeit, d. h. an den Einkauf unnützer Gegen-

Herzen, Gedachtes und Erlebtes. 4

stände, als Schüsseln, Kasserollen, Töpfe, Gläser und Vorräthe; er ging selbst nach Obwa, um ein Wiatkasches Pferd ex ipsa fonte zu kaufen. Als ich eingerichtet war, wurde ich nach Wiatka geschickt. Wir verkauften Alles um die Hälfte und verließen Perm. Sonnenberg wollte den Willen meines Vaters gewissenhaft ausführen; er ging mit nach Wiatka, um auch dort mein Haus einzurichten. Mein Vater war so zufrieden mit seiner Bereitwilligkeit und Selbstverleugnung, daß er ihm für die Dauer seines Aufenthalts bei mir monatlich hundert Rubel Gehalt gab. Dies war für Sonnenberg viel reeller und sicherer als das ungewisse Geschäft in Irbit, und er beeilte sich deshalb nicht, mich zu verlassen.

In Wiatka kaufte er nicht ein Pferd, sondern er kaufte deren drei, zwei für mich und eins für sich selbst, obgleich natürlich auch für das Geld meines Vaters. Diese Pferde stellten uns gleich in den Augen der Wiatkaer Gesellschaft sehr hoch. Sonnenberg, ich bemerkte dies schon früher, war trotz seiner fünfzig Jahre und der bedeutenden Mängel seiner Person ein großer Lebemann und war auf's innigste überzeugt, daß jede Frau und jedes Mädchen, die mit ihm zusammenkäme, die Gefahr des Nachtfalters theilte, wenn er der Flamme zu nahe kommt.

Die gute Meinung, welche die Pferde von uns erzeugt hatten, wollte er ausbeuten und zwar nach
der erotischen Seite hin. Er benutzte hierzu Alles.
Wir hatten z. B. einen Balkon nach dem Hofe hinaus, hinter welchem der Garten anfing. Von zehn
Uhr Morgens an saß nun Sonnenberg in Kasan-
schen rothen Stiefeln, eine mit Gold gestickte Mütze
auf dem Kopfe und im kaukasischen „Beschmet"
(kurzes Ueberkleid), eine große Bernsteinspitze im
Munde, auf der Wacht, indem er sich das Ansehn
gab, als ob er läse. Die Mütze und der Bernstein
sollten die drei Fräulein bezaubern, welche im benach-
barten Hause wohnten. Diese kamen auch hervor
und betrachteten voll Neugierde die orientalische
Marionette, welche auf dem Balkon rauchte. Karl
Iwanitsch wußte, wann und wie sie im Geheimen
den Fenstervorhang aufhoben, fand, daß seine Sachen vortrefflich gingen und blies den Rauch zärtlich in leichten Wölkchen in der bewußten Richtung.

Bald bot uns der Garten die Gelegenheit,
mit den Nachbarn bekannt zu werden. Unser Wirth
hatte drei Häuser, der Garten war gemeinschaftlich
für alle drei. Zwei der Häuser waren bewohnt;
in dem einen lebten wir und der Hausherr selbst
mit seiner Stiefmutter, einer wohlbeleibten, sanften
Wittwe, welche ihn so meisterhaft und mit solcher

4*

Eiferfucht bewachte, daß er mit den Damen des Gartens nur verstohlen sprach; — in dem zweiten Haufe lebten die Fräuleins mit ihren Eltern, das dritte stand leer. Sonnenberg war nach Verlauf einer Woche Alles in Allem bei der Damengefell- schaft unseres Gartens: er schaukelte die Fräuleins mehrere Stunden des Tags hindurch, rannte, um die Mantillen und Sonnenschirme zu holen, kurz war aux petits soins mit ihnen. Die Fräuleins gingen mit ihm ungenirter um als mit Andern, weil sie es für weniger möglich hielten ihn zu verdächtigen, als selbst die Frau Cäfars; ein Blick auf ihn schlug auch die frechste Verläumdung nieder.

Gegen Abend ging auch ich in den Garten, geleitet von demfelben Instinkt, mit welchem Leute, die gar keinen Wunsch haben, gerade daffelbe thun als andere Laute. Außer den Bewohnern der Häufer kamen auch deren Bekannten dahin: man machte und ließ sich die Cour machen und beob- achtete sich gegenfeitig — das war das tägliche Thema der Unterhaltung. Karl Iwanitsch, mit der Unermüdlichfeit eines Vidocq, gab sich einer fen- timentalen Spionirerei hin, wußte wer mit wem spazieren ginge, und wer auf wen nicht gleich- gültig hinfähe. Ich war ein fürchterlicher Stein des Anstoßes für die geheime Polizei des Gartens,

Damen und Herrn waren verwundert, daß sie troß
aller Bemühungen es nicht ausfinden konnten, für
wen ich seufze, wer mir besonders gefiele. Dies
war freilich nicht leicht, denn ich seufzte für Niemand, weil mir keine der jungen Damen gefiel.
Aber meine Zurückhaltung langweilte und beleidigte
diese endlich; sie erklärten mich für einen stolzen
Spötter und ihre Freundschaft kühlte sich merklich
ab, obgleich eine Jede von ihnen, wenn wir allein
waren, an mir die Macht ihrer gefährlichen Blicke
versuchte.

Eines Morgens benachrichtigte mich Sonnenberg, daß das Küchenmädchen des Hausherrn die
Fensterladen des dritten Hauses geöffnet habe und
die Fenster wasche. Das Haus war von einer angekommenen Familie gemiethet.

Die Gesellschaft des Gartens beschäftigte sich
heute ausschließlich mit den näheren Umständen der
Angekommenen. Die unbekannte Dame, entweder
weil sie von der Reise ermüdet oder noch nicht
völlig eingerichtet war, erschien, Allen zum Aerger,
nicht in unserm Vauxhall. Man bemühte sich, sie
am Fenster oder im Vorhaus zu erhaschen, Einigen
gelang es, Andere wanderten vergeblich ganze Tage
lang; die, welche sie gesehen hatten, fanden sie blaß
und schmachtend, mit einem Wort interessant und

nicht häßlich. Die Damen sagten, sie müsse unglücklich, wohl gar krank sein. Niemand kannte sie
als ein Gouvernements-Beamter, ein ausgelassener,
nicht dummer, junger Mensch. Er hatte früher in
demselben Gouvernement gedient, wo sie lebte; Alle
bestürmten ihn mit Fragen.

Der gewandte Beamte, sehr zufrieden darüber,
daß er etwas wußte, was die Anderen nicht wußten,
zollte den liebenswürdigen Eigenschaften der Ange=
kommenen alles Lob; sie selbst erhob er bis in die
Wolken, nannte sie eine Dame aus der Hauptstadt
u. s. w. „Sie ist verständig," sagte er, „liebens=
würdig, gebildet und wird sich nicht mit unsereinem
einlassen. Ach Gott," fuhr er fort, sich plötzlich zu
mir wendend, „da kommt mir ein köstlicher Gedanke:
retten Sie die Ehre der Wiatkaer Gesellschaft,
machen Sie ihr die Cour — nun, wissen Sie, Sie
sind aus Moskau — in der Verbannung — wahr=
scheinlich schreiben Sie Verse, — wahrhaftig, der
Himmel selbst hat sie Ihnen gesandt!" —

„Was schwatzen Sie da für Unsinn!" — sagte
ich lachend, während mir die Röthe in das Gesicht
stieg. Ich wollte sie nun auch sehen.

Einige Tage später begegnete ich ihr im Gar=
ten. Sie war wirklich eine sehr interessante Blon=
dine; derselbe Herr, der von ihr gesprochen hatte,

stellte mich ihr vor; ich war verwirrt und konnte
dies so wenig verbergen, als mein Beschützer sein
Lächeln.

Die Blödigkeit verging indeß, ich wurde bald
mit ihr bekannt. Sie war sehr unglücklich, denn
indem sie sich selbst mit einer erzwungenen Ruhe be-
trog, quälte sie sich und verging in dem Unbeschäf-
tigtsein des Herzens.

R. war eine von den versteckt leidenschaftlichen
weiblichen Naturen, welchen man nur unter Blon-
dinen begegnet, deren sanfte, ruhige Züge das flam-
mende Herz verdecken. Sie erbleichen von der inneren Bewegung und ihre Augen beleben sich nicht,
sondern erlöschen, wenn das Gefühl aus seinen
Schranken tritt. Ihr Blick ermüdete in sehnsuchts-
vollem Suchen, ihre Brust hob und senkte sich vor
unbefriedigtem Verlangen. In ihrem ganzen Wesen
zeigte sich etwas Unruhiges, Elektrisches. Zuweilen,
wenn sie im Garten spazieren ging, erbleichte sie
plötzlich und, verwirrt und innerlich zitternd, eilte
sie nach Hause; in solchen Augenblicken liebte ich
besonders sie anzusehen. — — — — — — —
— — — — — — — — — — — — — — — *)

---

*) Einige Blätter, welche hier ausgelassen sind, werden
vielleicht künftig in der vollständigen Ausgabe dieser Memoiren gedruckt werden.

Verwirrt, im Vorgefühl eines Unglücks, unzufrieden mit mir selbst, lebte ich in einem aufgereg-
ten Zustande; ich fing wieder an umherzuschwärmen
und Zerstreuung im Lärm zu suchen, ich ward böse,
wenn ich sie fand und ward böse, wenn ich sie nicht
fand; ich erwartete, wie einen reinigenden Luftzug
in glühender Hitze, einige Zeilen von Natalie aus
Moskau. Denn aus all' dem Gähren jugendlicher
Leidenschaften stieg lichter und immer lichter das
sanfte Bild der kindlichen Jungfrau empor. Die
Aufwallung der Liebe zu R. machte mir mein eignes
Herz klar, entdeckte mir sein Geheimniß.

Die Benennung Schwester fing an mich zu
beengen, die Freundschaft war mir nicht mehr genügend, dieses ruhige Gefühl schien mir zu kalt.
Ihre Liebe sah aus jeder Zeile ihrer Briefe hervor,
aber mir war auch das zu wenig, ich bedurfte nicht
nur ihrer Libee, sondern auch des Ausdrucks derselben und ich schrieb ihr: „Ich stelle dir eine sonderbare Frage: glaubst du, daß das Gefühl, welches
du für mich hegst, nichts weiter als Freundschaft ist?
Glaubst du, daß das Gefühl, welches ich für dich
hege, nur Freundschaft ist? — Ich glaube es
nicht."

„Du bist etwas verwirrt," antwortete sie; „ich
mußte es, daß dein Brief dich mehr erschrecken

würde als mich. Beruhige dich, mein Freund, er ändert nichts in mir, er kann nicht dazu beitragen, daß ich dich mehr oder weniger liebe."

Aber das Wort war ausgesprochen. „Der Nebel ist zertheilt," schrieb sie, „es ist wieder hell und klar."

Sie gab sich freudig und sorglos dem ausgesprochenen Gefühle hin; ihre Briefe waren ein jugendlicher Gesang der Liebe, der sich vom Kindeslispeln bis zur mächtigsten Lyrik erhob.

„Vielleicht sitzest du jetzt," schrieb sie, „in deinem Cabinet, du schreibst weder noch liesest du, du rauchst nur gedankenvoll deine Cigarre. Dein Blick verliert sich in die unbestimmte Ferne und keine Antwort kommt auf deinen Gruß. Wo sind deine Gedanken? wohin richtet sich dein Blick? Gieb keine Antwort — laß sie zu mir kommen." —

„Seien wir Kinder, bestimmen wir eine Stunde, in welcher wir Beide in freier Luft sein werden, eine Stunde, in welcher wir überzeugt sein können, daß Nichts uns trennt als die Ferne. Um acht Uhr Abends bist auch du wahrscheinlich frei? Ich ging neulich um diese Zeit in das Vorhaus, kehrte aber sogleich wieder um, weil ich dachte, du seist in der Stube."

„Wenn ich deine Briefe, dein Bild ansehe,
wenn ich an meine Briefe, an das Armband denke,
so möchte ich hundert Jahre überspringen können,
um zu sehen, was ihr Schicksal sein wird. Gegenstände, die für uns heilig waren, welche uns an
Körper und Geist heilten, mit denen wir uns unter-
hielten und welche uns gegenseitig für die Entfernung entschädigten, alle diese Waffen, mit denen wir
uns vor den Menschen, vor den Schlägen des
Schicksals, vor uns selbst vertheidigten, was wird
aus ihnen werden, wenn wir nicht mehr sind?
Werden sie ihre Kraft, ihren Geist behalten? Werden sie ein anderes Herz erwecken, erwärmen, ihm
unsere Geschichte, unsere Leiden, unsere Liebe erzählen? Werden sie ihm eine Thräne entlocken?
Wie traurig macht es mich zu denken, daß dein
Portrait vielleicht in Zukunft ungekannt in irgend
einem Kabinet hängen, oder daß vielleicht irgend ein
Kind damit spielen, das Glas zerbrechen und die
Züge verwischen wird!"

Meine Briefe waren anders;*) durch das volle

---

*) Die Verschiedenheit im Styl zwischen meinen Briefen
und denen von Natalie war sehr groß, besonders im Anfange der Correspondenz, nachher glich sie sich aus und zuletzt
wurde beider Styl sich ähnlich. In meinen Briefen zeigten
sich, außer dem wahren Gefühl — auch abgebrochene Phra-

Entzücken der Liebe hindurch drängten sich ,bittere Töne des Unmuths über mich selbst; Verzweiflung und stummer Vorwurf nagten an meinem Herzen, ich schien mir selbst ein Lügner und doch log ich nicht. Ich war ebenso aufrichtig von R. angezogen worden, als mich jetzt meine unverstandene Liebe von ihr entfernte.

Aber wie sollte ich mich dabei benehmen? wie sollte ich R. im Januar sagen, daß ich mich im August irrte, als ich ihr von meiner Liebe sprach? Wenn sie an die Wahrheit meiner Erzählung glauben konnte — dann war die neue Liebe verständlicher, der Verrath verzeihlich. Aber wie hatte das Bild der Abwesenden in Conflikt mit der Anwesenden treten, wie hatte die Fluth der neuen Liebe an diesem Feuerheerd vorüberrauschen und immer bewußter und

---

sen, gesuchte effektvolle Worte und der unverkennbare Einfluß Victor Hugo's und der modernen französischen Romanschreiber. Nichts Aehnliches war in ihren Briefen; die Sprache war einfach, poetisch, aufrichtig, nur ein Einfluß war in ihnen sichtbar, der Einfluß des Evangeliums. Damals bestrebte ich mich, noch Alles im hohen Styl zu schreiben und schrieb schlecht, weil es nicht meine Sprache war. Das Leben in den unpraktischen Sphären und das überflüssige Lesen gestatten dem Jüngling für lange Zeit nicht einfach und natürlich zu sprechen und zu schreiben. Die geistige Volljährigkeit des Menschen fängt erst dann an, wenn sich sein Styl festsetzt und seine letzte Gestalt annimmt.

stärfer werden können? Alles dies begriff ich selbst
nicht, ich fühlte nur, daß es so sei. Endlich umging R. selbst, mit der Gewandtheit der Eidechse,
ernste Erklärungen, sie ahnete die Gefahr, sie suchte
Aufklärung, entfernte sich aber zu gleicher Zeit von
der Wahrheit. Gerade weil sie sah, daß meine
Worte eine fürchterliche Wahrheit verdeckten, brach
sie das Gespräch ab, wo es anfing gefährlich zu
werden.

Einige Tage lang glaubte sie ihre Nebenbuh-
lerin in einer jungen, liebenswürdigen, lebhaften
Deutschen zu finden, welche ich lieb hatte wie ein
Kind, und in deren Umgange es mir leicht und frei
war, weil weder sie mit mir, noch ich mit ihr ko-
kettirte. Nach Verlauf einer Woche jedoch sah R.,
daß Pauline gar nicht gefährlich war. Aber ich
muß einige Worte über diese Letztere sagen, ehe ich
weiter gehe. Der Apotheker der Wiatkaer Krons-
Apotheke war ein Deutscher. Das war nichts Merk-
würdiges, aber das Erstaunenswerthe war, daß sein
Gehülfe ein Russe war und doch Bolman hieß. Mit
diesem wurde ich bekannt, er war verheirathet mit
der Tochter eines Wiatkaer Beamten, welche die
längsten, dichtesten und schönsten Haare hatte, die
ich je gesehen habe. Der Apotheker selbst, Ferdi-
nand Rulkovius, war, als ich mit seinem Gehülfen

bekannt wurde, nicht in Wiatka, und ich und Bolman
tranken verschiedene „Ratafia's" und wunderbar bereitete „Bittere" aus der Fabrik des Pharmaceuten. Der Apotheker war in Reval; dort machte
er die Bekanntschaft eines jungen Mädchens und
hielt um ihre Hand an. Das Mädchen, die ihn
kaum kannte, ging ohne Weiteres darauf ein, wie
dies die Mädchen im Allgemeinen, die deutschen
aber insbesondere, zu thun pflegen, auch hatte sie
keine Idee davon, in welche Wüste er sie führen
würde. Aber als sie nach der Hochzeit zur Besin-
nung kam, überwältigte sie Furcht und Verzweiflung.
Um die Neuvermählte zu trösten, willigte der Apotheker ein, ein junges Mädchen von siebzehn Jahren
nach Wiatka mitzunehmen, eine entfernte Verwandte
seiner Frau, die noch weniger als seine Frau be-
dachte, was es mit diesem „Wiatka" für eine Be-
wandtniß habe. Beide deutsche Frauen sprachen
kein Wort Russisch, in Wiatka aber waren kaum vier
Menschen, welche Deutsch sprachen; sogar der Lehrer
der deutschen Sprache am Gymnasium war derselben
nicht mächtig. Dies setzte mich so sehr in Erstaunen, daß ich ihn fragte, wie er es denn anfange,
darin zu unterrichten. „Nach der Grammatik und
den Dialogen," antwortete er. Er erklärte mir
dann, daß er eigentlich Lehrer der Mathematik sei

aber so lange, bis sich hierfür eine Vacanz finde, die deutsche Sprache lehre und daß er übrigens den halben Gehalt erhielte. *) Die deutschen Damen vergingen vor Langerweile und als sie einen Mann sahen, der, wenn auch nicht gut, doch verständlich Deutsch sprach, waren sie außer sich vor Entzücken, traktirten mich mit Kaffee und „Kalteschaale," erzählten mir alle ihre Geheimnisse, Wünsche und Hoffnungen, nannten mich nach zwei Tagen ihren Freund und versorgten mich mit Vorräthen von süßem Gebackenen mit Zimmt. Beide waren gebildet, d. h. sie wußten Schiller auswendig, spielten Clavier und sangen deutsche Lieder. Hierauf beschränkte sich aber die Aehnlichkeit zwischen Beiden. Die Apothekerin war eine blonde, lymphatische, schlanke, selbst recht hübsche, aber trockne und schläfrige Frau, sie war sehr gut, aber es wäre auch schwer gewesen, nicht gut zu sein mit solch einer Complexion. Als sie sich einmal überzeugt hatte, daß ihr Mann ihr Mann sei, liebte sie ihn ruhig und gleichmäßig, beschäftigte sich mit der Küche und Wäsche, las Ro-

---

*) Für diesen halben Gehalt bestimmte die „erleuchtete" Regierung in demselben Wiatkaer Gymnasium den bekannten Orientalisten Wernikoff, den Gefährten von Kowaleffski und Mischiowiß, der wegen der Sache von Philaret verbannt war — zum Lehrer der französischen Sprache.

mane in ihren Mußestunden und gebar dem Apotheker glücklich zur rechten Zeit ein weißhaariges, scro-
phulöses Töchterlein.

Ihre Freundin, klein von Gestalt, eine schwarz-
braune Brünette, von fester Gesundheit, mit großen
schwarzen Augen und von selbstständigem Aussehen,
war eine kräftige ländliche Schönheit, ihre Worte
und Bewegungen bekundeten große Energie und wenn
der Apotheker, ein langweiliger und geiziger Mensch,
seiner Frau unfreundliche Worte sagte und sie, mit
einem Lächeln auf den Lippen und Thränen an den
Augenwimpern, zuhörte, so erröthete Pauline und
sah den sich erhitzenden Pharmaceuten mit solch einem
Blick an, daß er augenblicklich ruhig wurde, sich das
Ansehen gab, als sei er sehr beschäftigt und in das
Laboratorium ging, um allen möglichen Schmutz zur
Wiederherstellung der Gesundheit der Wiatkaer Beamten zusammenzustoßen und zu mischen.

Mir gefiel das naive Mädchen, welches so kräftig aufzutreten verstand und ich weiß nicht, wie es
kam, ihr vertraute ich zuerst meine Liebe und übersetzte ihr die Briefe. Der nur kennt den ganzen
Werth eines solchen herzlichen Geschwätzes, der lange
Zeit, ganze Jahre hindurch, mit fremden Menschen
hat leben müssen. Ich spreche selten über Gefühle,
aber es kommen Augenblicke, wo das Bedürfniß sich

auszusprechen mit Gewalt sich geltend macht, sogar
jetzt noch. Und damals war ich vierundzwanzig
Jahre alt und fing nur eben an, meine Liebe zu
verstehen! Ich konnte die Trennung ertragen, ich
hätte auch das Schweigen ertragen können, aber als
ich einer andern Kind-Jungfrau begegnete, in der
Alles so unverstellt einfach war, konnte ich mich nicht
enthalten, ihr mein Geheimniß auszuplaudern. Und
wie dankbar war sie mir dafür! Die immer ernsten
Gespräche Wittberg's ermüdeten mich zuweilen, gequält von meinem Verhältniß zu R. konnte ich mich
bei ihr nicht frei fühlen. So ging ich öfters am
Abend zu Pauline, las ihr etwas vor, hörte ihr
fröhliches Lachen, hörte wie sie, natürlich für mich,
das „Mädchen aus der Fremde“ sang, unter welchem
sie und ich ein anderes fremdes Mädchen verstanden
und dann zerstreuten sich allmälig die trüben Wolken, ich ward wieder heiter, ruhig und wollte in
Frieden nach Hause gehen, aber der Apotheker, der
seine letzte Mixtur gemischt, sein letztes Pflaster ge-
schmiert hatte, kam dann und plagte mich mit un-
sinnigen politischen Fragen und ließ mich nicht eher
los, als bis ich von seinen „Stärkungsmittelchen“
getrunken und etwas Häringssalat gegessen hatte,
der von den weißen Händen der Frau Apothekerin
bereitet worden war.

— — — Währenddem erwartete ich mit beklagenswerther Schwäche von der Zeit und dem Zufall eine Entscheidung und zögerte und zögerte in der halben Lüge. Tausend Mal wollte ich zu N. gehen, mich zu ihren Füßen werfen, ihr Alles sagen, ihren Zorn, ihre Verachtung auf mich nehmen, — das Alles fürchtete ich nicht — aber ich fürchtete ihre Thränen. Man muß viel Böses erfahren haben, um die Thränen einer Frau ertragen zu können, um zu zweifeln, so lange noch die Tropfen von den brennenden Wangen fallen. Und obendrein wären ihre Thränen aufrichtig gewesen!

So verging eine lange Zeit. Gerüchte über eine baldige Aufhebung des Exils fingen an sich zu verbreiten; der Tag schien nicht mehr sehr fern, wo ich mich würde in den Wagen werfen und nach Moskau eilen können; bekannte Gesichter tauchten auf vor meinen Blicken, zwischen ihnen und vor allen anderen die bewußten Züge, aber kaum gab ich mich diesen Träumen hin, als sich mir an der anderen Seite des Wagens die bleiche, unglückliche Gestalt N.'s mit verweinten Augen, mit Blicken, die Schmerz und Vorwurf ausdrückten, zeigten und meine Freude ward getrübt, mir war es leid, tödtlich leid um sie.

Länger in diesem lügnerischen Zustande bleiben konnte ich aber nicht, ich beschloß mich aus demselben zu befreien. Ich schrieb ihr eine völlige Beichte und bekannte ihr aufrichtig die ganze Wahrheit. Am andern Morgen erhielt ich Antwort. Man kann sich denken, wie ich die Nacht hinbrachte; ich empfand Alles, was der Verbrecher empfinden mag, der überführt zu werden fürchtet. Sie schrieb sanft, edel und tief=traurig; die Blüthen meiner Beredtsamkeit hatten den Stachel nicht bedecken können; in ihren versöhnenden Worten hörte man das unterdrückte Stöhnen der schwachen Brust, den Schrei des Schmerzes, der nur mit außerordentlicher Anstrengung zurückgehalten ward. Sie segnete mich für das neue Leben, sie wünschte uns Glück, nannte Natalie ihre Schwester und reichte uns die Hand zum Vergessen des Vergangenen und zu künftiger Freundschaft. Als wenn sie schuldig gewesen wäre!

Weinend las ich ihren Brief. Qual cuor tradisti!

———

Viertes Kapitel.

Wladimir.

„Nun lebe wohl!" schrieb ich in einem Briefe an Natalie, „lebe wohl, Stadt, in welcher beinahe drei Jahre meines Lebens vergingen, lebe wohl, Wiatka; der Segen des Verbannten über dich für deine Aufnahme, für die Freundschaft, mit der du ihn umgeben hast. In Wladimir soll nun mein ganzes Leben dir gewidmet sein, Natalie; dort werde ich meine Seele reinigen und aus der Ferne zu dir beten. So hält der Pilgrim irgendwo in Emmaus an, bevor er nach Jerusalem geht, um Vergebung zu erbitten für das Vergangene und sich auf das Kommende vorzubereiten. Dieses werden meine vierzig Tage in der Wüste sein."

Ich hielt Wort; von meiner Ankunft in Wladi-

5*

mir an, begann ich ein anderes Leben als in Wiatka.
Mein kleines Quartier ward bald der Zelle eines
Mönchs ähnlicher, als dem Aufenthalt eines Löwen
der Provinz. Ja und ich war auch kein Löwe
in Wladimir. Es fiel mir nicht mehr ein, gemeine
Zerstreuungen zu suchen; die Hand, die mich aufrecht hielt, die mir zur moralischen Stütze diente,
war nahe. Die Briefe brauchten nur einen Tag,
das Papier schien noch warm zu sein, der Puls der
Hand schien sich noch darauf zu fühlen, die Spur
des Blickes, der den Zeilen gefolgt war, schien noch
nicht vergangen. — — —

Der Gouverneur Kuruta, ein verständiger
Grieche, kannte die Menschen sehr gut und war
längst gleichgültig geworden gegen Gutes und Böses. Er begriff meine Lage augenblicklich und machte
nicht den geringsten Versuch mich zu unterdrücken.
Von der Kanzelei war gar nicht die Rede, er be-
auftragte mich, in Verbindung mit einem Lehrer des
Gymnasiums die „Gouvernements-Zeitung" zu re-
digiren; darin bestand mein Dienst.

Mit dieser Beschäftigung war ich vertraut, ich
besorgte schon in Wiatka den nicht-officiellen Theil
der Zeitung, und ließ einmal einen Artikel mit ab-
drucken, für welchen mein Nachfolger beinahe in's
Unglück gerathen wäre. Indem ich die Feier auf

dem „Wilika-Fluß" *) beschrieb, sagte ich, daß das
Hammelfleisch, welches man dem Nicolaus Chlinoffski
zum Opfer darbringe, in früheren Jahren den Armen gegeben worden sei, jetzt aber verkauft werde.
Der Erzbischof erzürnte sich und der Gouverneur
konnte ihn nur mit genauer Noth überreden, die
Sache fallen zu lassen.

Die Gouvernements-Zeitungen wurden im Jahre
1837 eingeführt. Der originelle Gedanke, in einem
Lande des Schweigens und der Stummheit der
Oeffentlichkeit vorzubeugen, war im Kopfe Bludoff's,
des Ministers des Innern, entstanden. Bludoff,
der als Fortsetzer der Geschichte von Karamsin, an
der er keine Zeile weiter schrieb, und als Verfasser
des Berichts der Untersuchungscommission vom 14.
December, den er besser nie geschrieben hätte, bekannt
ist, gehörte zu den Staats-Doktrinairen, welche sich
gegen das Ende von Alexander's Regierung hin
zeigten. Es waren verständige, gebildete, ehrliche
Leute, altgewordene und ausgediente „Arsamasische
Gänse," **) sie verstanden Russisch zu schreiben, waren Patrioten und beschäftigten sich so eifrig mit
der vaterländischen Geschichte, daß sie keine Zeit

*) S. „Gefängniß und Exil"
**) Eine literarisch-politische Gesellschaft, die sich so nannte.

hatten, ihre Aufmerksamkeit der Gegenwart zuzuwen-
den. Sie alle ehrten das „unvergeßliche Andenken"
N. M. Karamsin's, liebten Schukoffski, wußten Kriloff auswendig und reis'ten nach Moskau, um mit
J. J. Dmitrieff in seinem Hause auf der Sadowoi
zu sprechen, wo auch ich ihn als Student besuchte,
voll von romantischen Vorurtheilen, voll von der
persönlichen Bekanntschaft mit N. Polewoi und der
nicht verhehlten Unzufriedenheit damit, daß Dmitrieff der Poet auch Minister der Justiz war. Von
Jenen erwartete man viel, sie täuschten aber die Hoffnungen eben so, wie die Doktrinaire aller Länder.
Vielleicht daß sie etwas geleistet hätten, wenn Alexander länger am Leben geblieben wäre, aber Alexander starb und sie blieben bei dem Wunsche, etwas
Tüchtiges zu schaffen, stehen.

In Monaco befindet sich auf dem Grabdenk-
male eines der regierenden Fürsten folgende In-
schrift: „Hier ruht Florestan der —, er wollte das
Beste seiner Unterthanen!" Unsere Doktrinaire wollten auch das Beste, wenn nicht ihrer, so doch der
Unterthanen von Nicolaus Paulowitsch, aber sie hatten die Rechnung ohne den Wirth gemacht. Ich
weiß nicht, wer jenen Florestan irre machte, sie aber
wurden durch unsern Florestan irre gemacht. Es
begegnete ihnen, daß sie mit allen Verschlimmerungen

in Rußland in Verbindung kamen und ihre Wirk-
samkeit auf unnöthige Neuerungen beschränken mußten, auf Umänderung in den Formen und Benen-
nungen. Jeder Oberbeamte bei uns hält es für
seine erste und höchste Pflicht, irgend ein Projekt
vorzuschlagen, eine Abänderung, gewöhnlich zum
Schlechtern und meistentheils ganz gleichgültig. Man
fand es z. B. für nöthig, den Sekretair in der
Kanzlei des Gouverneurs nicht mehr Sekretair, sondern „Sachführer“ zu nennen, aber der Sekretair
der Gouvernementsregierung wurde nicht in das
Russische übersetzt.

Ich erinnere mich, daß der Justizminister ein
Projekt einreichte über die Nothwendigkeit, die Uniformen der Civilbeamten zu verändern. Dieses Projekt ward in folgender feierlich-erhabenen Weise be-
fürwortet: „Indem wir unsere Aufmerksamkeit insbesondere auf den Mangel an Einheit in der Sti-
ckerei und dem Schnitte einiger Uniformen der Beamten des Gerichtswesens richten und in Erwägung
ziehen“ u. s. w.

Ergriffen von dieser Projekt-Krankheit änderte
der Minister der innern Angelegenheiten den Titel:
Landgerichts-Assessoren um in: Bezirks-Aufseher. Die
Assessoren lebten in den Städten und plünderten
die Dörfer. Die Bezirks-Aufseher fahren zuweilen

in die Stadt, leben aber beständig in den Dörfern. Auf diese Weise sind alle Bauern unter die Aufsicht der Polizei gestellt und zwar mit dem völligen Bewußtsein, welch' ein räuberisches, gefräßiges, widerliches Thier unser Polizeibeamter ist. Bludoff führte die Polizei in die Geheimnisse des bäuerischen Gewerbes und Wohlstandes, in das Familienleben, in die Gemeinde-Angelegenheiten ein, und vernichtete damit die letzte Zufluchtsstätte des Volkslebens. Ein Glück noch ist es, daß es bei uns sehr viele Dörfer giebt und immer nur zwei Aufseher für einen Distrikt.

Beinahe zu derselben Zeit erfand Bludoff auch die Gouvernements - Zeitungen. Unsere Regierung, welche das Lesen und Schreiben verachtete, machte doch große Ansprüche auf literarische Befähigung, und während z. B. in England die Krone kein eigenes Blatt hat, hatte bei uns jedes Ministerium, jede Akademie und jede Universität ihre eigenen Blätter. Bei uns gab es Journale für die Berg- und Salzwerke, in französischer und deutscher Sprache, für die Marine, für die Chausseen u. s. w., die alle auf Kosten der Regierung gedruckt wurden. Die Bestellungen der Artikel erfolgten aus den Ministerien, gerade wie die Bestellungen für Holz und Licht, nur ohne öffentliches Abdingen; die Mängel in den allgemeinen Abrechnungen, die erfundenen Ziffern und

phantaſtiſchen Folgerungen pflegten nicht dabei zu
ſein. Die Regierung, die alle Monopole an ſich genommen hatte, nahm ſich auch das Monopol des
Schwätzens und des ohne Unterbrechung Redens.
Indem er dies Syſtem fortſetzte, befahl Bludoff,
daß jede Gouvernementsregierung ihre Zeitung her-
ausgeben, und daß jede dieſer Zeitungen ihren nicht-
officiellen Theil haben ſolle für Artikel über Geſchichte, Literatur u. ſ. w.

Geſagt, gethan! und ſiehe da! funfzig Gou-
vernementsregierungen riſſen ſich die Haare aus über
den nicht-officiellen Theil. Die Geiſtlichen in den
Seminarien, die Doktoren der Medicin, die Lehrer an den Gymnaſien, kurz alle Leute, die im
Verdacht der Bildung und des vernünftigen Ge-
brauchs des Buchſtabens „ѣ"*) ſtanden, wurden
in Requiſition geſetzt. Sie dachten nach, über-
laſen die „Leſebibliothek" und die „Vaterländiſchen Blätter," fürchteten ſich, erzürnten ſich und
ſchrieben endlich die Artikel. Sich ſelbſt gedruckt zu
ſehen, iſt eine der ſtärkſten Leidenſchaften des Menſchen des verdorbenen Bücher-Zeitalters. Aber nichts-
deſtoweniger iſt es nicht leicht, ohne beſondere Ver-

---

*) Ein Buchſtabe, deſſen orthographiſche Anwendung in
vielen Fällen zweifelhaft und entſcheidend für den Grad der
Bildung iſt.

anlaffung fich zur öffentlichen Ausstellung seiner Pro-
dukte zu entschließen. Leute, welche nicht gewagt
haben würden, ihre Artikel in den Moskauer Blättern oder den Petersburger Journalen zu veröffent-
lichen, druckten sie jetzt bei sich zu Hause. Und so
wurde die „verderbliche" Gewohnheit, ein Organ zu haben, so wurde die Oeffentlichkeit bei uns
eingepflanzt. Ja, stets bereite Waffen zu haben, ist
nicht übel. Der typographische Werktisch ist o h n e
K n o c h e n.*)

Mein College bei der Redaktion war ein Can-
didat unserer Universität und zwar einer von meiner
Facultät. Ich habe nicht den Muth mit einem Lächeln über ihn zu sprechen, so traurig beschloß er
sein Leben und doch war er bis zu seinem Tode
äußerst lächerlich. Er war gar nicht dumm, aber
ungewöhnlich ungeschickt und linkisch. Es würde
schwer sein, zum zweiten Male nicht nur einer so
völligen Häßlichkeit, sondern auch einer so großen,
d. h. ausgedehnten, zu begegnen. Sein Gesicht war
um die Hälfte größer als ein gewöhnliches Gesicht,
der rauhe, ungeheure Fischmund öffnete sich bis an die
Ohren, die hellgrauen Augen waren nicht erleuchtet,
sondern ärmlich mit den blonden Augenwimpern

---

*) Ein russisches Sprichwort: „die Zunge ist ohne Knochen."

bedeckt, die dürftigen Haare umgaben kärglich seinen Schädel und dabei hatte er einen unförmlich großen Kopf, war verwachsen und sehr schmutzig.

Er hatte sogar einen so verkehrten Namen, daß die Schildwache von Wladimir ihn deswegen auf die Wache schickte. Spät am Abend ging er, in einen Mantel gehüllt, bis an das Haus des Gouverneurs, er trug ein Hand=Telescop, blieb stehen und richtete es nach irgend einem Planeten. Dies machte den Soldaten stutzig, der die Sterne wahrscheinlich für Kronseigenthum ansah. „Wer da?“ schrie er den unbeweglich stehenden Beobachter an. „Nebaba,“ *) antwortete mein Freund mit lauter Stimme, ohne sich vom Platze zu rühren.

„Hier spaßt man nicht,“ erwiderte der beleidigte Soldat; „ich bin im Dienst.“

„Ich sage es ja, daß ich Nebaba bin!“ Der Soldat, in dem Wahne, mein Freund habe ihn zum Besten, zog die Glocke; der Unterofficier kam, die Schildwache übergab ihm den Astronomen, um ihn auf die Hauptwache zu führen. — „Da werden sie dir zeigen, ob du ein Weib bist oder nicht.“ — Er würde unfehlbar bis zum Morgen haben sitzen

---

*) Heißt im Russischen: Nicht-Weib.

müssen, wenn ihn der wachthabende Offizier nicht gekannt hätte.

Einmal kam Nebaba des Morgens zu mir, um mir zu sagen, daß er auf einige Tage nach Moskau gehe, und dabei lächelte er schlau und vergnügt. „Ich — werde — nicht allein zurückkommen," sagte er stotternd. — „Wie? — Sie? — ist's möglich?" — „Ja, ich trete in eine gesetzliche Ehe," antwortete er verschämt. Ich bewunderte die Frau, die sich entschlossen hatte, diesen guten, aber über die Gebühr häßlichen Mann zu heirathen. Als ich aber nach zwei oder drei Wochen ein ungefähr achtzehnjähriges Wesen bei ihm im Hause sah, zwar nicht schön, aber hübsch, mit lebendigen Augen, da sah ich auf Nebaba wie auf einen Helden.

Nach anderthalb Monaten ungefähr bemerkte ich, daß es mit meinem Quasimodo schlecht ging, er war von Kummer gebeugt, machte die Correkturen schlecht, beendigte seinen Artikel über die „Zugvögel" nicht und war düster und zerstreut; zuweilen schien es mir, als hätte er verweinte Augen. Dies dauerte nicht lange. Eines Tages, als ich nach Hause kam, sah ich Knaben und Krämer nach der Kirche zu laufen, denen die Polizei folgte. Ich folgte auch.

Der Leichnam Nebaba's lag an der Mauer der Kirche und neben ihm das Gewehr. Er hatte sich den Fenstern seines Hauses gegenüber erschossen, auf den Beinen lag der Bindfaden, mit welchem er den Hahn losließ. Der Inspektor des Hospitals verkündete den Umstehenden sehr geläufig, daß der Verstorbene sich gar nicht verstümmelt habe; die Polizeidiener nahmen ihn auf, um ihn auf die Polizei zu tragen. — — — — — — — — —

Warum ist die Natur so grausam mit den Menschen? Was für Leiden mochten in der Brust des armen Nebaba getobt haben, ehe er sich entschloß, seinem elenden Leben ein Ende zu machen! Und weshalb? Deshalb, weil sein Vater scrophulös, seine Mutter lymphatisch war? So ist Alles. Aber welches Recht haben wir, Gerechtigkeit, Rechenschaft, Gründe zu verlangen? — und von wem? — von dem wirbelnden Orkan des Lebens? —

Fünftes Kapitel.

In Moskau ohne mich.

Mein friedliches Leben in Wladimir wurde bald gestört durch Nachrichten aus Moskau, welche jetzt von allen Seiten kamen. Sie betrübten mich sehr. Um dies verständlich zu machen, muß ich bis zum Jahre 1834 zurückgehen.

Der Tag nach meiner Festnehmung im Jahre 1834 war der Namenstag der Fürstin, weshalb Natalie, als sie mir auf dem Kirchhof Lebewohl sagte, hinzusetzte: „Auf morgen!" — Sie erwartete mich. — Einige glückwünschende Verwandte kamen, plötzlich erschien mein Vetter und erzählte mit allen Umständen die Geschichte meines Arrestes. Diese ganz unerwartete Neuigkeit erschütterte sie, sie stand auf, um in das andere Zimmer zu gehen,

und als sie zwei Schritte gemacht hatte, fiel sie be-
sinnungslos zu Boden. Die Fürstin sah und verstand; sie beschloß mit allen möglichen Mitteln der
aufkeimenden Liebe entgegen zu arbeiten.

Weshalb?

Ich weiß es nicht. — In der letzten Zeit,
d. h. gegen das Ende meines Universitäts-Cursus,
war sie sehr gut gegen mich gesinnt; aber mein
Arrest, die Gerüchte über unsere aufrührerische
Art zu denken, der Wechsel der rechtgläubigen Kirche
für eine „St. Simonistische Sekte" erzürnten sie;
von der Zeit an nannte sie mich nur noch den „politischen Verbrecher" oder den „unglücklichen Sohn
von Bruder Iwan." Es bedurfte der ganzen Auto-
rität des Senators, um sie zu bewegen, Natalien
zu erlauben, mir im Gefängniß Lebewohl zu sagen.

Zum Glück wurde ich verbannt; nun hatte die
Fürstin Zeit. „Wo liegt dieses Perm, dieses Wiatka? — da wird er sich wohl selbst den Hals brechen, oder Andere werden dies thun, und — er wird
sie vergessen."

Aber der Fürstin zum Trotz war mein Gedächtniß sehr gut. Der Briefwechsel mit mir, der lange
vor ihr geheim gehalten worden war, wurde endlich
entdeckt und sie verbot den Dienern und Mägden
auf das Strengste, dem jungen Mädchen Briefe zu

geben oder Briefe von derselben auf die Post zu
tragen. Man fing nach ungefähr zwei Jahren an
von meiner Rückkehr zu sprechen. „Das fehlte gerade noch, wenn eines schönen Morgens der unglückliche Sohn meines Bruders zur Thür herein-
käme! — Was ist da lange zu bedenken, man
muß die Sache beendigen — ich werde sie verheirathen, um sie vor diesem politischen Verbrecher,
diesem Menschen ohne Religion und Moral zu
retten."

Früher hatte die Fürstin immer seufzend von
der armen Waise gesprochen, daß sie beinahe nichts
besäße, daß sie unmöglich lange wählen könne, daß
sie suchen müßte irgendwie für sich eine Versor-
gung zu finden. Sie hatte in der That früher
schon einmal mit ihren Klatschschwestern einer un-
bemittelten Verwandten irgend ein Schicksal ge-
gründet, indem sie dieselbe mit einem Winkeladvo-
katen verheirathete. Das gute, liebenswürdige, sehr
gebildete Mädchen verheirathete sich, um ihrer Mutter
eine bessere Lage zu verschaffen; nach ungefähr zwei
Jahren starb sie, aber der Winkeladvokat blieb am
Leben und fuhr fort, aus Dankbarkeit, sich mit der
Beaufsichtigung der Geschäfte Ihrer Durchlaucht zu
befassen.

Nun war, im Gegentheil, die Waise plötzlich keine arme Partie mehr, die Fürstin beabsichtigte sie zu verheirathen wie eine eigne Tochter, ihr hunderttausend Rubel an Geld mitzugeben und außerdem ihr noch eine Erbschaft zu hinterlassen. Auf dieser Basis ließ sich schon ein Bräutigam finden nicht allein in Moskau, sondern überall, besonders wenn man noch obendrein eine Gesellschafterin, einen Fürstentitel und herumziehende alte Weiber zur Seite hatte.

Geflüster, Unterhaltungen, Gerüchte durch die Dienstmädchen unterrichteten das unglückliche Opfer von den fürsorglichen Absichten der Fürstin. Sie erklärte der Gesellschafterin, daß sie entschieden keinen Antrag annehmen werde. Von da an begann eine unaufhörliche, beleidigende, jedes Mitleids und Zartgefühls entbehrende Verfolgung. „Stell' dir vor: ein abscheuliches Wetter, fürchterliche Kälte, Wind, Regen, Nebel, einen Himmel ohne Ausdruck, die widerwärtige kleine Stube, welche aussieht, als ob man diese Stunde einen Todten hinausgetragen hätte, und alle diese alten Kinder, die ohne Zweck, ja ohne Selbstbefriedigung, lärmen und schreien, zerbrechen und beschmutzen, was sie vorfinden — ja und wenn man wenigstens nur blos zuzusehen und sich nicht unter sie zu mischen brauchte —" schrieb

Herzen, Gedachtes und Erlebtes. 6

sie in einem Briefe aus dem Dorfe, wo die Fürstin
den Sommer zuzubringen pflegte, und fuhr dann
fort: „Bei uns sitzen drei alte Weiber und alle drei
erzählen, wie ihre Seligen vom Schlage gelähmt
wurden, wie sie sie pflegten — und dazu ist es
kalt." —

Zu solch einer Umgebung denke man sich nun
noch eine systematische Verfolgung hinzu, nicht allein
von Seiten der Fürstin, sondern auch von Seiten
der elenden Alten, welche Natalie unaufhörlich auf-
regten, indem sie ihr zuredeten, sich doch zu verheirathen und auf mich schalten. Gewöhnlich erwähnte
sie in ihren Briefen der Menge von Unannehmlich-
keiten nicht, die sie zu ertragen hatte, aber einmal
gewannen Schmerz, Erniedrigung und Langeweile die
Oberhand. „Ich weiß nicht," schrieb sie, „ob sie
sich noch irgend etwas Neues zu meiner Unter-
drückung aussinnen können; sollten sie so viel Ver=
stand haben? Weißt du, daß es mir sogar verboten
ist in das andere Zimmer zu gehen, ja nur meinen
Platz in dem einen Zimmer zu wechseln? Ich spielte
schon lange nicht auf dem Clavier, man brachte
Licht, ich ging in den Saal, in der Hoffnung, daß
sie vielleicht Mitleid haben würden — nein! sie
riefen mich zurück und nöthigten mich zu stricken.
Nun wollte ich mich an einen andern Tisch setzen,

bei ihnen ist es mir unerträglich — konnte das sein? Nein! „Unverzüglich setz' dich hierher zu der Popin, höre, sieh, sprich" — und sie sprechen von nichts als von Philaret und überhäufen dich mit Schmähungen. Auf einen Augenblick wurde ich zornig, ich erröthete und plötzlich preßte ein schweres Gefühl des Schmerzes mir das Herz zusammen, aber nicht deshalb, weil ich ihre Sclavin bin — nein weil sie selbst mir so leid thun."

Eine förmliche Freiwerberei fing nun an.

„Eine Dame war bei uns, welche mich liebt und welche ich deswegen nicht liebe — denn sie bemüht sich aus allen Kräften mich zu versorgen und erzürnt mich dadurch bis zu dem Grade, daß ich ihr neulich vorsang:

„Ich werde mich schneller mit dem Leichentuch bedecken,
Als ohne den Geliebten mit einem Weihnachtstuch."

Nach einigen Tagen, am 26. October 1837, schrieb sie: „Du kannst dir nicht vorstellen, mein Freund, was ich heute auszustehen gehabt habe. Sie putzten mich und brachten mich dann zu S..., welche von meiner Kindheit an immer über alle Maaßen gütig gegen mich gewesen ist. Zu ihr kommt jeden Dienstag ein Oberst Z., um Karten zu spielen. Nun stelle dir meine Lage vor: auf der einen Seite die Alten hinter dem Kartentisch, auf

6*

der andern einige häßliche Figuren und er. Das Gespräch, die Gesichter, Alles war mir so fremd, sonderbar, widerwärtig und leblos, daß ich selbst eher einer Statue glich als einem lebenden Wesen. Was vorging, erschien mir wie ein schwerer, beängstigender Traum und ich bat unaufhörlich wie ein Kind, daß man mich nach Hause bringen möge, aber sie hörten nicht auf mich. Die Wirthin und der Gast überhäuften mich mit Aufmerksamkeiten, er schrieb sogar meinen Namen mit Kreide bis zur Hälfte. Mein Gott, die Kräfte versagen mir! Auf Keinen von denen, die mir eine Stütze sein sollten, kann ich mich verlassen; ich stehe allein, am Rande des Abgrunds — und der ganze Haufe ist mit allem Eifer bemüht mich hinabzustoßen — zuweilen ermatte ich, meine Kräfte schwinden, du bist nicht in der Nähe, mir nicht sichtbar in der Ferne; aber dann bedarf es nur der Erinnerung — und die Seele rafft sich auf und bereitet sich von Neuem zum Kampfe in der Rüstung der Liebe."

Inzwischen gefiel der Oberst Allen; der Senator war zärtlich mit ihm, mein Vater fand, daß man keinen bessern Bräutigam erwarten könne, noch zu wünschen brauche. „Sogar Se. Excellenz D. P. ist zufrieden mit ihm," schrieb Natalie. Die Fürstin sprach nicht direkt mit der Letzteren, aber sie vermehrte die Bedrückungen und beschleunigte die Sache. Natalie versuchte es, dem Obersten gegenüber die „Einfältige" zu spielen, indem sie dachte, dies würde ihn zurückschrecken. Alles vergebens! er kam immer öfter.

„Gestern," schrieb sie, „kam Emilie zu mir und dies ist, was sie sagte: Wenn ich hörte, du seist gestorben, so würde ich mich mit Freuden bekreuzen und Gott danken! Sie hat in vieler Beziehung Recht, aber doch nicht ganz; ihre Seele, die nur im Kummer lebt, versteht die Leiden meines Herzens völlig, aber die Seligkeit, mit welcher es die Liebe erfüllt, kann sie kaum begreifen."

Die Fürstin verlor den Muth nicht. „Da sie wünscht, ihr Gewissen zu befreien, so hat sie einen Geistlichen rufen lassen, der mit Z... bekannt ist und ihn gefragt, ob es Sünde sei, mich mit Gewalt zu verheirathen? Der Geistliche hat erwidert, daß es Gott nur wohlgefällig sein könne, wenn man für die Waise sorge. Ich werde zu meinem Beichtvater schicken und ihm Alles sagen."

„30. October. Da sind Kleider, da ist Putz für morgen, da ist ein Heiligenbild, Trauringe, Geschäftigkeit, Vorbereitungen — und nicht ein Wor zu mir. M. und die Andern sind eingeladen; sie bereiten mir eine Ueberraschung — aber ich bereite ihnen auch eine Ueberraschung."

„Am Abend. Jetzt geht die Berathung vor sich. Leff Alexiewitsch (der Senator) ist da. — Du suchst mich zu trösten, — es ist nicht nöthig, mein Freund, ich verstehe es, mich von diesen furchtbaren, häßlichen Scenen, wo man mich an der Kette schleppt, abzuwenden. Dein helles Bild beschützt mich, für mich ist Nichts zu fürchten und der Kummer und der Schmerz selbst sind so heilig und machen die Seele so stark und fest, daß, sie wegnehmen, die Sache nur schlimmer machen würde; die Wunden würden dann aufgedeckt."

Wie sehr aber man es auch zu verdecken und zu bemänteln suchte, der Oberst mußte doch endlich die entschiedene Abneigung seiner Braut bemerken; er kam nun seltner, sagte, er sei krank, und deutete sogar auf eine Zulage zur Mitgift hin. Das ärgerte die Fürstin sehr, aber sie unterwarf sich auch dieser Demüthigung, sie versprach noch ihr Landgut in der Nähe von Moskau. Eine solche Nachgiebigkeit hatte er wahrscheinlich nicht erwartet, denn er ließ sich nicht mehr sehen.

Ungefähr zwei Monate vergingen ruhig, da verbreitete sich plötzlich die Nachricht von meiner

Rückkehr aus Wladimir. Nun machte die Fürstin den letzten verzweifelten Versuch in der Frei- werberei. Eine ihrer Bekanntinnen hatte einen Sohn, der eben als Offizier vom Kaukasus zurück- gekehrt war; er war jung, gebildet und ein or- dentlicher Mensch. Die Fürstin überwand ihren Stolz; sie trug selbst der Schwester auf, den Bru- der „auszuforschen," ob er sich nicht verheirathen wolle. Er fügte sich der Ueberredung der Schwester. Das junge Mädchen aber wollte nicht noch einmal eine so widerwärtige und langweilige Rolle spielen, sie sah, daß die Sache eine ernste Wendung nahm, und schrieb ihm einen Brief, in dem sie ihm gerade, offen und einfach sagte, daß sie einen Andern liebe, seiner Ehre vertraue und ihn bitte, ihr nicht neue Leiden zu bereiten.

Der Officier zog sich in sehr zarter Weise zu- rück. Die Fürstin, darüber erzürnt und beleidigt, beschloß zu erforschen, wie die Sache zusammenhinge. Die Schwester des Offiziers, mit der Natalie selbst gesprochen und die ihrem Bruder das Wort gegeben hatte, der Fürstin nichts zu verrathen, erzählte Al- les der Gesellschafterin. Diese, versteht sich, hinter- brachte es sogleich.

Die Fürstin war außer sich vor Aerger. Sie wußte nicht, was sie thun sollte; sie befahl dem jungen

Mädchen, hinauf auf ihr Zimmer zu gehen und ihr
nicht vor die Augen zu kommen und, nicht zufrieden
damit, ließ sie ihre Thüre verschließen und setzte
zwei Dienerinnen als Wache davor. Dann schrieb
sie ihren Brüdern und einem Neffen und lud sie zu
einem Familienrath ein, indem sie sagte, daß sie so
verwirrt und angegriffen wäre, daß sie nicht im
Stande sei, die unglückliche Sache, welche sie betroffen hätte, allein beizulegen. Mein Vater entschuldigte sich mit Ueberhäufung von Geschäften und
fügte hinzu, daß man der Sache nicht solche Wichtigkeit beimessen solle und daß er ein schlechter Richter in Herzensangelegenheiten sei. Der Senator
und der Neffe erschienen in Folge des Aufrufs am
folgenden Abend.

Man sprach lange mit einander, kam jedoch zu
keinem Resultate und endlich verlangten Jene die
Gefangene zu sehen. Das junge Mädchen kam; aber
dies war die schweigsame, schüchterne Waise nicht
mehr, welche sie gekannt hatten. Unbeugsame Festig-
keit und ein unwiderruflicher Entschluß waren in dem
ruhigen und stolzen Ausdruck des Gesichts zu lesen;
es war kein Kind mehr, es war eine Frau, welche
kam, um ihre — meine — Liebe zu vertheidigen.

Das Aussehen der „Angeklagten" verwirrte
den Areopag. Es war ihnen nicht leicht zu Muthe;

endlich nahm der Neffe, der Redner in der Familie, das Wort, setzte weitläufig die Ursache ihres Kommens auseinander, sprach von dem Kummer der Fürstin, von ihrem Wunsche, das Schicksal ihrer Pflegebefohlenen zu sichern und von der sonderbaren Widersetzlichkeit derjenigen, zu deren Bestem Alles dieses geschehe. Der Senator bestätigte mit Kopfnicken und bedeutungsvollen Fingerbewegungen die Worte des Neffen. Die Fürstin schwieg, saß abgewandt und roch an flüchtigen Salzen.

Die „Angeklagte" hörte Alles mit an und fragte dann einfach, was man von ihr fordere?

„Wir sind weit entfernt etwas zu fordern," bemerkte der Neffe, „wir sind hier auf den Wunsch der Tante, um Ihnen einen aufrichtigen Rath zu geben. Es bietet sich Ihnen eine, in jeder Beziehung ausgezeichnete, Partie dar."

„Ich kann sie nicht annehmen."

„Aus welchem Grunde?"

„Sie kennen den Grund."

Der Redner der Familie erröthete ein wenig, nahm eine Prise und fuhr, mit den Augen blinzelnd, fort: „Es ist sehr Vieles zu sagen gegen das, was Sie sich einbilden — ich wende aber Ihre Aufmerksamkeit nur auf die Unsicherheit Ihrer Hoff-

nungen. Sie sahen unsern unglücklichen Alexander
seit lange nicht — er ist jung und feurig — sind
Sie überzeugt" —

„Ich bin überzeugt! Ja, — welches auch feine
Gesinnungen sein mögen, ich kann die meinigen nim-
mermehr ändern."

Der Neffe war mit seinem Latein zu Ende, er
stand auf, indem er sagte: „Gott gebe, Gott gebe,
daß Sie es nicht bereuen; ich fürchte sehr für Ihre
Zukunft." Der Senator runzelte die Stirn; zu ihm
wandte sich jetzt das unglückliche Mädchen. „Sie haben mir immer Antheil gezeigt," sagte sie ihm, „Sie
bitte ich jetzt, retten Sie mich; machen Sie mit mir
was Sie wollen, aber befreien Sie mich von diesem
Leben. Ich habe niemals etwas gethan, ich will
gar nichts haben, ich bitte um nichts, ich habe nur
verweigert einen Mann zu betrügen und mich selbst
elend zu machen, indem ich ihn heirathe. Was ich
deshalb ausstehen muß, ist kaum zu denken. Es
thut mir leid, daß ich dieses in Gegenwart der Fürstin sagen muß, aber die Kränkungen, die beleidigen-
den Worte und Winke ihrer Freundinnen zu extra-
gen, geht über meine Kräfte. Ich kann es nicht,
ich brauche es nicht zu dulden, daß man in mir beleidigt" — — — Die Nerven forderten ihr Recht
und die Thränen stürzten ihr aus den Augen. Der

Senator sprang auf, und ging aufgeregt im Zimmer auf und ab.

Die Gesellschafterin, die vor Wuth kochte, konnte sich nicht mehr zurückhalten; sie sagte, indem sie sich zur Fürstin wandte: „Das ist also unser bescheidenes Kind? Das ist der Dank für Sie?"

„Von wem redet Sie?" schrie der Senator. „Wie können Sie erlauben, Schwester, daß Jene — der Teufel weiß, wer sie ist — vor Ihnen so von der Tochter unseres Bruders redet? Weshalb ist überhaupt dieses Pack hier? Erlaubten Sie ihr auch zum Rath zu kommen? Ist sie etwa Ihre Verwandte, wie?"

„Mein Lieber," erwiderte die erschrockene Fürstin, „du weißt, was sie mir ist und wie sie für mich sorgt."

„Ja, ja, das ist ganz gut; laß sie die Arznei reichen und was sonst noch nöthig ist, — davon ist aber nicht die Rede; ich frage Sie, ma soeur, weshalb sie h i e r ist, was sie in Familienangelegenheiten mitzusprechen hat, wozu sie die Stimme erhebt? Man kann sich hiernach denken, was sie machen mag, wenn sie allein ist, und dann beklagen Sie sich! Heda! meinen Wagen!"

Die Gesellschafterin, weinend und roth vor Zorn, lief davon.

„Warum verziehen Sie sie so?" fuhr der um-
herrennende Senator fort; „sie bildet sich immer ein,
daß sie in der Schenke von Swenigorod sitzt; ist
Ihnen das nicht widerwärtig?"

„Hör' auf, mein Freund, ich bitte dich, meine
Nerven sind so angegriffen — oh! — Du kannst
hinaufgehen und oben bleiben," sagte die Fürstin,
indem sie sich zur Nichte wandte.

„Es ist Zeit, daß diese Bastillen auch aufhören.
Das ist Alles dummes Zeug und führt zu Nichts,"
bemerkte der Senator und nahm den Hut.

Als er den Saal verließ, ging er nach Oben.
Ueberwältigt von dem Vorgefallenen, saß Natalie
in einem Armstuhl, bedeckte das Gesicht und weinte
bitterlich. Der Alte klopfte ihr auf die Schulter
und sagte: „Beruhige dich, beruhige dich, es wird
sich Alles ändern. Gieb dir Mühe, daß die Schwester aufhört dir zu zürnen; sie ist eine kranke Frau,
der man nachgeben muß; sie wünscht dir Gutes zu
erzeigen, gewiß; aber mit Gewalt soll sie dich nicht
verheirathen, dafür stehe ich."

„Lieber will ich in ein Kloster gehen, in eine
Pension, nach Tamboff, nach Petersburg zum Bruder, als noch länger dieses Leben ertragen," antwortete sie.

„Nun genug, genug; suche die Schwester zu

beruhigen, und der andern Närrin werde ich die Un-
höflichkeit schon vertreiben."

Als der Senator nach dem Saal ging, begegnete er der Gesellschafterin.

„Ich bitte Sie, sich nicht zu vergessen!" rief er
ihr zu, indem er ihr mit dem Finger drohte.

Sie ging schluchzend in das Schlafzimmer, wo
die Fürstin schon im Bette lag und vier Dienstmädchen ihr die Beine und Hände rieben, ihre Schläfe
mit Essig benetzten und ihr Hoffmannsche Tropfen
auf Zucker eingaben.

So endigte der Familienrath.

Es war klar, daß die Lage des jungen Mädchens hiernach sich nicht verbessern konnte. Die Gesellschafterin war vorsichtiger, aber da sie jetzt auch
persönlichen Groll hegte und die Beleidigung und
Erniedrigung zurückzugeben wünschte, so verbitterte
sie ihr das Leben mit Kleinlichkeiten und Nichts-
würdigkeiten auf alle Weise. Es versteht sich, daß
die Fürstin sich an dieser unedlen Verfolgung des
schutzlosen Mädchens betheiligte.

Es ward nöthig, dem ein Ende zu machen.
Ich beschloß, gerade hinaus auf die Scene zu treten und schrieb an meinen Vater einen langen, ruhigen, aufrichtigen Brief. Ich sprach ihm von meiner
Liebe und da ich seine Antwort voraussah, fügte

ich hinzu, daß ich ihn nicht übereilen wolle, daß ich
ihm Zeit lasse zu prüfen, ob dieses Gefühl vorüber-
gehend sein werde oder nicht, daß ich ihn aber darum bäte, sich mit dem Senator um die Lage des
unglücklichen Mädchens zu bekümmern, und zu bedenken, daß sie ebensoviel Recht auf dasselbe hätten,
als die Fürstin.

Mein Vater antwortete hierauf, daß es ihm im
höchsten Grade zuwider wäre sich in fremde Angelegenheiten zu mischen, daß es ihn nichts angehe,
was die Fürstin bei sich im Hause mache; beiläufig
rieth er mir, die eiteln Gedanken, die „durch den
Müssiggang und die Langeweile der Verbannung
hervorgerufen seien," fahren zu lassen und mich lieber zu einer Reise in das Ausland vorzubereiten.
Ich hatte oft in früherer Zeit mit ihm über eine
Reise in das Ausland gesprochen, er wußte, wie
leidenschaftlich ich eine solche wünschte, er fand aber
immer eine Menge Einwände und schloß stets mit
dem folgenden: „du mußt mir erst die Augen schließen, dann kannst du nach allen vier Weltgegenden
gehen." In der Verbannung gab ich jede Hoffnung
auf baldiges Reisen auf, da ich wußte, wie schwer
es sein würde die Erlaubniß zu erhalten, und da es
mir außerdem auch nicht zartfühlend schien, nach der
gezwungenen Trennung gleich auf einer freiwilligen

zu bestehen. Ich gedachte der Thränen, die auf den
alten Wangen zitterten, als ich nach Perm mußte,
— und nun ergriff mein Vater plötzlich die Initia-
tive und schlug mir selbst vor zu gehen.' — Ich war
aufrichtig gewesen, hatte dem Alten so schonend als
möglich geschrieben und um so wenig gebeten; er hatte
ironisch und schlau geantwortet. „Er will nichts
für mich thun," sagte ich zu mir selbst, „er predigt
wie Guizot die Non-intervention, gut, so werde ich
selbst handeln und jetzt — Adieu Nachgiebigkeit!"
Ich hatte nie vorher über meine Zukunft nachgedacht, ich glaubte, ich wußte, daß sie mein, daß sie
unser sei, und überließ es dem Zufall sie zu gestal-
ten. Wir waren so zufrieden in dem Bewußtsein
unserer Liebe, daß unser Wunsch nicht über ein mo-
mentanes Wiedersehen hinausging. Der Brief meines Vaters forderte mich auf, die Zukunft ins Auge
zu fassen. Zu warten war nicht länger. Cosa fatta
capo ha! Mein Vater war nicht sehr sentimental
und die Fürstin —

> Möge sie ein bischen weinen,
> Ihr bedeutet das ja nichts.
>
> (Lermontoff.)

Zu der Zeit waren mein kranker Bruder und
K. zu Gast bei mir in Wladimir. K. und ich verbrachten ganze Nächte im Gespräch, in Erinnerungen,

und oft durch und bis zu Thränen lachend. Er war
der Erste aus unserem Kreise, den ich seit meiner
Abreise von Moskau wiedersah, von ihm erfuhr
ich die ganze Chronik desselben, alle vorgefallenen
Veränderungen und die Interessen, mit denen man
sich beschäftigte, welche Leute noch da waren, wo die
Anderen, die Moskau verließen, u. s. w. Als wir
Alles besprochen hatten, erzählte ich ihm von meinen Absichten. Indem wir überlegten, was zu machen sei und wie, endigte K. mit einem Vorschlag,
dessen Abenteuerlichkeit ich erst nachher einsah. Voll
des Wunsches, erst alle friedlichen Wege zu versuchen, wollte er zu meinem Vater gehen, den er kaum
kannte, und ernstlich mit ihm sprechen. Ich willigte ein.

K. war für alles mögliche Gute und Schlechte
tauglich, nur gerade nicht für diplomatische Unterhandlungen, besonders mit meinem Vater; mit einem Wort, er besaß im höchsten Grade Alles, um
die Sache völlig zu verderben. Seine bloße Erscheinung war hinreichend, um jeden Conservativen mit
Bestürzung und Angst zu erfüllen. Die hohe Gestalt, die verwilderten Haare, das scharf geschnittene
Gesicht, Alles erinnerte an eine ganze Reihe von
Mitgliedern des Convents von 93 und noch mehr
an Marat; es war derselbe große Mund, derselbe

scharfe Zug von Verachtung um die Lippen und derselbe traurige, gekränkte, unglückliche Ausdruck des Gesichts. Zu alledem muß man sich nun noch Brillen hinzudenken, einen Hut mit breitem Rande, eine außerordentliche Reizbarkeit, eine rauhe Stimme, die Ungewohntheit sich zu beherrschen und die Fähigkeit, je nach dem Maaße der Unzufriedenheit die Augenbrauen höher und höher zu ziehen. K. glich Larawinió in dem vortrefflichen Roman „Horace" von G. Sand, mit einem Zusatz von etwas Pfadfinderschem, Robinsonschem und etwas rein Moskauischem. Seine offne, edle Natur brachte ihn von Kindheit au in beständigen Conflikt mit der ihn umgebenden Welt, er verhehlte sich diese feindselige Stellung nicht und gewöhnte sich daran. Um einige Jahre älter als wir Anderen, schalt er uns unaufhörlich und war mit Allem unzufrieden, er machte uns Vorwürfe, zankte sich und sprach offen über alles das mit der Gutmüthigkeit eines Kindes. Seine Worte waren rauh, sein Gefühl war weich und wir vergaben ihm immer.

Nun stelle man sich gerade diesen letzten der Mohikaner, mit dem Gesichte Marat's, „des Freundes des Volkes," vor, hingehend um meinen Vater zu überzeugen! Manches Mal bat ich K. später, mir ihre Zusammenkunft wiederzuerzählen, denn meine

Herzen, Gedachtes und Erlebtes. 7

Einbildungskraft reichte nicht hin, mir die volle Ori=
ginalität dieser diplomatischen Verhandlung darzu=
stellen. Sie kam meinem Vater so unerwartet, daß er
im Anfange gar nicht wußte, wie er seine tiefen
Einwendungen gegen meine Verheirathung erklären
sollte, schließlich aber den Ton änderte und K. frug,
Kraft welches Rechts er zu ihm käme, um über eine
Sache mit ihm zu sprechen, die ihn durchaus nichts=
anginge. Das Gespräch nahm hierauf einen galli=
gen Charakter an. Der Diplomat, als er sah, daß
die Sache schlecht ging, versuchte es, den Alten mit
meiner Gesundheit zu schrecken, aber dies war schon
zu spät und die Zusammenkunft endete, wie zu er=
warten stand, mit einer Reihe giftiger Anzüglichkei=
ten von Seiten meines Vaters und grober Erwi=
derungen von Seiten K.'s.

K. schrieb mir: „Vom Alten erwarte nichts."

Was aber war nun zu thun? Während ich
täglich wenigstens über zehn verschiedene Projekte
nachsann und mich nicht entscheiden konnte, einem
den Vorzug zu geben, bereitete sich mein Bruder
vor nach Moskau zurückzukehren.

Das war den 1. März 1838.

––––––––

Sechstes Kapitel.

Der 3. März und der 9. Mai 1888.

Am Morgen schrieb ich einen Brief; als er beendigt war, setzten wir uns zum Essen. Ich aß nichts, wir schwiegen; mir war unerträglich schwer um's Herz. — Es war jetzt fünf Uhr, um sieben waren die Pferde bestellt. Morgen nach dem Essen war er in Moskau und ich — mit jedem Augenblicke schlug mein Puls stärker.

"Hören Sie,"*) sagte ich endlich zu meinem Bruder, indem ich auf meinen Teller niederblickte, "wollen Sie mich nach Moskau mitnehmen?"

Mein Bruder legte die Gabel nieder und sah mich verwundert an; er wußte nicht, ob er seinen Ohren trauen sollte oder nicht.

*) Die jüngeren Geschwister nennen die älteren Familienmitglieder Sie.

7*

„Bringen Sie mich durch den Schlagbaum als Ihren Diener, weiter brauche ich nichts. Wollen Sie?"

„Ja, — meinetwegen — aber du weißt, wenn du nun —"

Es war zu spät; sein „meinetwegen" war mir schon in das Blut, in das Gehirn übergegangen. Der Gedanke, der nur eben im Augenblick aufgeblitzt war, war bereits unüberwindlich.

„Was ist da zu reden? Es ist mir gleichgültig, was daraus entsteht. Sie nehmen mich also mit?"

„Ja, aber — ich bin gern bereit — nur" — Ich stand vom Tische auf.

„Sie gehen?" fragte Matwei, der etwas zu sagen wünschte.

„Ich gehe," antwortete ich so, daß er nichts hinzufügen konnte. „Ich komme übermorgen zurück; wenn Jemand kommt, so sag', daß ich Kopfweh habe und schlafe; am Abend zünde die Lichter an, und jetzt gieb mir Wäsche und den Reisesack.

Die Glöckchen der Pferde klingelten im Hofe.

„Bist du fertig?"

„Fertig."

Und so — Glück auf!

Am andern Tage zur Essenszeit hörten die Glöckchen auf zu klingeln, wir hielten an K.'s Thüre.

Ich befahl, ihn zu rufen. Eine Woche zuvor, als er mich in Wladimir verließ, war noch nicht einmal die Rede von der Möglichkeit meines Kommens gewesen, deshalb war er jetzt so erstaunt mich zu sehen, daß er anfänglich kein Wort hervorbringen konnte, dann brach er in Lachen aus, machte aber bald ein ängstliches Gesicht und führte mich zu sich hinein. Als wir in seinem Zimmer waren, schloß er sorgfältig die Thür ab und fragte mich: „Was ist geschehen?"

„Nichts."

„Aber warum bist du hier?"

„Ich konnte nicht in Wladimir bleiben, ich mußte Natalie sehen — das ist Alles, und du mußt das einrichten und zwar gleich, denn morgen muß ich wieder zu Hause sein."

K. sah mir in die Augen und zog die Augenbrauen stark in die Höhe.

„Welche Dummheit, so ohne Nothwendigkeit, ohne Vorbereitung zu reisen! Hast du denn geschrieben, die Zeit bestimmt?"

„Nichts habe ich geschrieben."

„Nun erlaub', Freund, aber was soll man mit dir anfangen? Dies ist denn doch zu stark, das ist Wahnsinn, hitziges Fieber!"

„Die ganze Sache ist, daß man keinen Augen-

blick verlieren darf, daß man das Wie und Was
gleich überlegen muß."

„Du bist ein Narr," sagte K. entschieden, indem er die Augenbrauen höher und höher zog; „ich
würde sehr froh sein, außerordentlich froh', wenn
nichts gelänge, das würde eine Lehre für dich sein."

„Ja, eine sehr lange Lehre, wenn man mich
abfaßte! Höre, wenn es dunkel wird, gehen wir an
das Haus der Fürstin, du rufst irgend Jemand
heraus auf die Straße, ich sage dir wen — und
dann sehen wir, was zu machen ist. Ist dir's so
recht, he?"

„Nun es bleibt ja weiter nichts übrig — gehen
wir — aber ich wollte doch, es würde nichts daraus.
Warum schriebst du denn gestern nicht?" Und K.
setzte ärgerlich seinen Hut mit dem breiten Rande
auf und warf einen schwarzen Mantel mit rothem
Unterfutter um.

„Ach du verwünschter Brummbär!" sagte ich,
als wir hinausgingen und K., von Herzen lachend,
fuhr fort: „Ist das nicht zum Todtlachen? — nicht
zu schreiben und zu kommen — nein, das ist zu
toll!"

Es war unmöglich für mich bei K. zu bleiben,
er wohnte zu weit weg und überdies hatte seine
Mutter für den Abend Gäste. Er ging mit mir zu

einem Husarenoffizier, den er als einen edeln Menschen kannte, der niemals in politische Sachen verwickelt gewesen und daher außerhalb des Bereichs
der polizeilichen Untersuchungen war. Der Offizier,
mit langem Schnurrbart, saß gerade beim Essen,
als wir eintraten; K. erzählte ihm, wie sich die
Sache verhielte, der Offizier schenkte mir als Antwort ein Glas rothen Weines ein und dankte für
unser Zutrauen, dann führte er mich in sein Schlafzimmer, das so mit Sätteln und Schabracken an-
gefüllt war, daß man hätte denken sollen, er schlafe
zu Pferde.

„Da ist ein Zimmer für Sie,“ sagte er, „Niemand wird Sie hier beunruhigen;“ dann rief er seinem dienenden Husaren und befahl ihm, keinen Menschen unter irgend einem Vorwande in dieses Zimmer zu lassen. Abermals fand ich mich von einem
Soldaten bewacht, nur mit dem Unterschiede, daß
im Gefängniß der Gensdarm die ganze Welt vor mir
bewachte und der Husar mich vor der ganzen Welt
bewachte.

Als es völlig dunkel war, ging ich wieder mit
K. aus. Das Herz pochte mir stark, als ich alle
die bekannten Straßen, die Plätze und Häuser sah,
die ich seit vier Jahren nicht gesehen hatte, die
Schmidtbrücke, den Twerschen Boulevard, — — da —

das Haus N.'s, auf dem ein ungeheures Wappen aufgedrückt war, es war schon fremdes Eigenthum geworden; in dem untersten Stock, wo wir so jugendlich froh lebten, wohnte jetzt ein Schneider — da war die Powarska, — die Brust hob sich — da im Dachfenster an der Ecke brannte ein Licht — dies war ihr Zimmer, sie schrieb an mich, sie dachte an mich, das Licht brannte so fröhlich — so fröhlich für mich.

Während wir überlegten, auf welche Weise wir am besten Jemand aus dem Hause rufen könnten, kam uns einer der jungen Haus-Officianten der Fürstin in den Weg gelaufen. „Arkadi," sagte ich, als er bei mir war. Er erkannte mich nicht. „Nun," fuhr ich fort, „kennst du mich denn nicht?" — „Gott! sind Sie es?" rief er. Ich legte den Finger auf den Mund und sagte: „Willst du mir einen Freundschaftsdienst erweisen? Ja? nun so besorge sogleich, durch Sascha oder Kostinka, wer dir zuerst begegnet, dieses Billet; verstehst du? Wir erwarten die Antwort dort an der Ecke des Gäßchens, und du sagst Niemandem, daß du mich in Moskau gesehen hast." „Seien Sie ruhig, in einem Augenblicke soll Alles geschehen sein," erwiderte Arkadi und schlich wie ein Luchs in das Haus zurück.

Ungefähr eine halbe Stunde waren wir in der

Gasse auf- und abgegangen, als eine kleine, magere Alte eilig und sich überall umschauend herankam; es war dieselbe kühne Dienerin, welche im Jahre 1812 die französischen Soldaten um „manché" für mich gebeten hatte und die wir von Kindheit an Kostinka nannten. Die Alte faßte meinen Kopf mit beiden Händen und küßte mich. „So bist du hergeflogen?" sagte sie; „ach du tollkühner Kopf — wann wirst du 'mal vernünftig! Du Leichtsinn! Und das Fräulein ist so erschrocken, daß sie beinahe in Ohnmacht gefallen wäre!"

„Wo ist das Billet? Haben Sie eins?"

„Ich habe, ich habe — ach was für Ungeduld!" Und sie gab mir ein Streifchen Papier.

Von zitternder Hand waren mit Bleistift folgende Worte darauf geschrieben: „Mein Gott, ist es möglich, ist es wahr — Du hier? Morgen früh um sechs Uhr werde ich dich erwarten — ich kann es nicht glauben — nicht glauben! Ist es denn möglich, daß dies kein Traum ist?"

Der Husar gab mich von Neuem unter die Hut des Soldaten. Um ein halb sechs Uhr stand ich, mich an einen Laternenpfeiler anlehnend und erwartete K., der zum Hinterpförtchen des fürstlichen Hauses hineingegangen war. Ich will es nicht versuchen zu schildern, was in mir vorging, während

ich da am Pfeiler stand und wartete. Solche Augenblicke bleiben darum ein persönliches Geheimniß,
weil sie stumm sind. K. winkte mir mit der Hand.
Ich ging zum Pförtchen hinein, ein Knabe, der
während meiner Abwesenheit groß geworden war,
begleitete mich lächelnd.

Und da war ich nun in dem Vorzimmer, aus
welchem ich sonst nie ohne Gähnen gezogen war
und wo ich mich jetzt hätte auf die Knie werfen
und jedes Brett des Bodens küssen mögen. Arkadi
führte mich in das Gastzimmer und ging hinaus.
Ich warf mich, überwältigt von meinen Gefühlen,
auf den Divan, das Herz klopfte mir so stark in
der Brust, daß ich mich krank davon fühlte, — es
war mir schrecklich zu Muthe. Ich verlängere die
Erzählung, um länger bei diesen Erinnerungen zu
verweilen, obgleich ich sehe, daß das Wort sie nur
schlecht wiedergiebt.

Sie kam, ganz in Weiß gekleidet, außerordentlich schön; drei Jahre der Trennung und der ausgestandenen Kämpfe hatten die Züge und den Ausdruck vollendet. — „Du bist es,“ sagte sie mit ihrer
ruhigen, sanften Stimme.

Wir saßen auf dem Divan nieder und schwiegen.

Der Ausdruck des Glücks in ihren Augen
grenzte an das Leiden. Es muß wohl sein, daß das

Gefühl der Freude, wenn es den höchsten Grad er-
reicht hat, sich mit einem Ausdruck von Schmerz
mischt, denn sie sagte auch zu mir: „Wie ermattet
siehst du aus!"

Ich hielt ihre eine Hand, auf die andere stützte
sie sich und wir hatten einander nichts zu sagen
als — kurze Phrasen, ein paar Erinnerungen, ein
und das andere Wort aus den Briefen, unbedeutende
Bemerkungen über Arkadi, über den Husaren, über
Koßtinka u. s. w.

Die Alte kam; es sei Zeit aufzubrechen, sagte
sie; ich stand auf ohne etwas einzuwenden, auch
sie dachte nicht daran mich zu halten — solch eine
Fülle war in der Seele. Mehr oder weniger, kür-
zer oder länger — Alles verschwand vor der vollen
Gegenwart.

Als wir zum Schlagbaum hinaus waren, fragte
K.: „Nun wie steht's, habt ihr etwas entschieden?"

„Nein, nichts!"

„Aber du sprachst doch mit ihr?

„Darüber kein Wort."

„Ist sie einverstanden?"

„Ich fragte sie nicht — natürlich ist sie einverstanden."

„Bei Gott, du benimmst dich wie ein Kind
oder wie ein Verrückter," versetzte K., indem er die

Augenbrauen in die Höhe zog und ungeduldig mit den Achseln zuckte.

„Ich werde ihr schreiben und dann dir! Und nun Adieu!"

Es war Thauwetter, durch den lockern Schnee blickten schon schwarze Flecken, unendliche weiße Felder lagen zu beiden Seiten, Dörfer schimmerten hier und da mit ihrem Rauch; darauf kam der Mond hervor und beleuchtete Alles. Ich war allein mit dem Postillon, aber immerfort sah ich sie und war bei ihr und der Weg, der Mond und die Felder flossen mit dem Gastzimmer der Fürstin in Eins zusammen. Und — sonderbar! ich erinnerte mich jedes Wortes der alten Amme, Arkadi's, sogar der Magd, die mich bis an die Pforte brachte, nur was ich mit i h r sprach, was s i e mir sagte, dessen erinnerte ich mich nicht! —

Zwei Monate vergingen in ununterbrochner Thätigkeit; man mußte Geld leihen, den Taufschein besorgen u. s. w.; es ergab sich, daß die Fürstin denselben in Verwahrung hatte. Einer von den Freunden erlangte, mit allen möglichen Lügen, einen andern von dem Consistorium, indem er die Schreiber und die Polizeioffiziere bestach, traktirte und ihnen schmeichelte.

Als Alles bereit war, reis'ten wir ab, d. h. ich und Matwei.

Bei Tagesanbruch am 8. Mai waren wir auf der letzten Poststation vor Moskau. Die Postillone gingen die Pferde zu holen. Das Wetter war schlecht, es regnete und ein Gewitter schien im Anzuge zu sein; ich ging nicht aus der Kibitke heraus und trieb den Postillon zur Eile. Da hörte ich Jemand dicht bei mir mit einer sonderbaren, dünnen, weinerlichen Stimme etwas sagen. Ich wendete mich um und sah ein Mädchen von ungefähr sechszehn Jahren, bleich, mager, in Lumpen, mit zerstreuten Haaren, welche um ein Almosen bat. Ich gab ihr eine kleine Silbermünze; sie lachte, aber anstatt weiter zu gehen, stieg sie auf die Seite der Kibitke, beugte sich zu mir nieder und murmelte unzusammenhängende Reden, wobei sie mir gerade in das Gesicht sah, — ihr Blick war verwirrt, die straffen Haare fielen ihr in das Gesicht. — Ihr krankes Aussehn, ihr unverständliches Geschwätz, dazu die trübe Morgenbeleuchtung, Alles dies brachte in mir eine nervöse Bangigkeit hervor.

„Das ist so eine „Einfältige" bei uns, d. h. eine Närrin," bemerkte der Postillon; „nun, wohin willst du? Geh oder ich versetze dir Eins mit der Peitsche!"

„Was schimpfst du mich denn? was habe ich dir gethan? Der Herr gab mir ein silbernes Fünf= kopekenstück — was hab' ich dir gethan?"

„Mach', daß du fortkommst zu deinen Teufeln in den Wald."

„Nimm mich mit dir," rief das Mädchen, indem sie mich kläglich ansah; „ach ja, nimm mich —"

„Um dich in Moskau für Geld sehen zu lassen, du Närrin, du Seekrebs?" sagte der Postillon; „geh' oder ich werfe dich herunter."

Das Mädchen dachte nicht an's Gehen, sondern blickte mich immer kläglicher an. Ich bat den Postillon ihr nicht wehe zu thun. Er hob sie mit beiden Armen von der Kibitke und setzte sie ruhig auf die Erde. Sie weinte und ich war nahe daran, auch zu weinen.

Warum kam mir dieses Wesen gerade an die= sem Tage in den Weg? gerade bei meiner Einfahrt nach Moskau? Ich erinnerte mich an die „Ver= rückte"*) von Kosloff, sie begegnete ihm auch bei Moskau.

Wir fuhren weiter, die Luft war elektrisch, un= angenehm schwer und schwül. Die blaue Wolke

---

*) Ein Gedicht.

mit den grauen Büscheln, die sich bis zur Erde
niedersenkten, schleppte sich langsam über die Felder. — Da plötzlich zerriß ein Blitz sie mit seinen
Kreuz- und Quersprüngen, der Donner folgte und
der Regen floß in Strömen. Wir waren noch an
zehn Werst von dem Rogoschkischen Schlagbaum und
in Moskau selbst hatten wir auch noch eine Stunde zu
fahren bis zum Jungfern-Feld, wo A. wohnte, bei
dem ich K. erwarten sollte, und wo ich endlich, bis
auf die Haut durchnäßt, ankam.

K. war nicht da, als ich ankam, er saß am
Sterbebett der Frau E. G. Lewaschewoi. Diese
Frau gehörte zu den außerordentlichen Erscheinungen
des russischen Lebens, welche mit demselben versöhnen; deren ganze Existenz vergeht, ohne von Jemand anders als einem kleinen Kreise von Freunden gekannt zu sein. Wie viele Thränen hatte sie
getrocknet, in wie manches zerrissene Herz Trost gebracht, wie viele junge Wesen hatte sie unterstützt und
wie viel hatte sie selbst gelitten! „Sie verging vor
Liebe," sagte mir Tschadaeff, einer ihrer nächsten
Freunde, der ihr seine berühmten Briefe über Rußland widmete.

K. konnte sie nicht verlassen; er schrieb, daß er
um neun Uhr kommen würde. Mich erschreckte
diese Nachricht. Ein Mensch, der von einer starken

Leidenschaft eingenommen, ist ein furchtbarer Egoist; ich sah in der Abwesenheit K.'s nur die Verzögerung meiner Wünsche. — Es schlug neun Uhr — man läutete zur Spätmesse — es verging noch eine Viertelstunde — mich verzehrte eine fieberhafte Unruhe und eine kleinmüthige Verzweiflung — halb zehn — nein! er wird nicht kommen, die Kranke ist schlechter geworden — was soll ich thun? — In Moskau bleiben konnte ich nicht, ein unvorsichtiges Wort der Dienstmagd, der Alten im Hause der Fürstin konnte Alles entdecken. Zurückzugehen war möglich, aber ich fühlte, daß ich nicht die Kraft hatte zurückzugehen.

Um dreiviertel auf zehn erschien K. in einem Strohhut und mit dem zerstörten Aussehen eines Menschen, der die ganze Nacht nicht geschlafen hat. Ich stürzte ihm entgegen, umarmte ihn und überhäufte ihn mit Vorwürfen. K. runzelte die Stirn, sah mich an und fragte: „Ist vielleicht eine halbe Stunde nicht Zeit genug, um von hier nach der Powarska zu gehen? Wir würden da eine ganze Stunde geschwatzt haben und wenn das auch angenehm ist, so wollte ich doch die sterbende Frau nicht eher verlassen, als bis es durchaus nöthig wäre. Die Lewaschewoi,“ fügte er hinzu, „sendet Euch ihre Grüße; sie segnete mich sterbend für einen glücklichen Erfolg und gab mir für den Fall der Noth einen warmen Shawl." Der Gruß der Sterbenden war mir außerordentlich theuer. Der warme Shawl wurde sehr nöthig in der Nacht und — ich konnte ihr nicht mehr dafür danken, nicht ihre Hand drücken; sie starb bald darauf.

K. und A. machten sich auf den Weg. K. sollte mit Natalie außerhalb des Schlagbaums warten, A. sollte zurückkommen, um mir zu sagen, daß Alles gelungen und was zu thun sei. Ich wartete bei seiner jungen, schönen Frau; sie war selbst noch nicht lange verheirathet und nahm, eine leidenschaftliche, feurige Natur, den wärmsten Antheil an unserer Angelegenheit. Sie bemühte sich mit erzwungener Heiterkeit mich zu überzeugen, daß Alles vortrefflich gehen werde und war dabei selbst doch so verzweifelt unruhig, daß sie beständig die Farbe wechselte. Wir saßen am Fenster, das Gespräch wollte nicht in Fluß kommen, wir waren wie Kinder, die zur Strafe in ein leeres Zimmer gesteckt sind. So vergingen zwei Stunden.

Es giebt nichts Vernichtenderes, Unerträglicheres als gezwungene Unthätigkeit und Erwartung in solchen Augenblicken. Die Freunde begehen einen großen Irrthum, welche die ganze Last von den Schultern des Haupt-Patienten nehmen. Sie müß-

Herzen, Gedachtes und Erlebtes. 8

ten vielmehr eine Beschäftigung für ihn ersinnen
oder ihn zu physischer Arbeit bestimmen, welche die
Qual der Erwartung mildert.

Endlich kam A., wir stürzten ihm entgegen.
„Alles geht herrlich, sie sind vor meinen Augen auf
und davon," rief er uns schon vom Hofe aus zu.
„Mach' dich gleich auf nach dem Rogoschkischen
Schlagbaum, bei der Brücke wirst du die Pferde
sehen, nicht weit vom Perowischen Restaurant. Nun
mit Gott! Vergiß nicht, auf halbem Wege den
Kutscher zu wechseln, damit der Letzte nicht weiß,
woher du kommst."

Ich flog wie ein Pfeil davon. — — Ich kam
zur Brücke nicht weit von Perowa, aber Niemand
war da — auch nicht an der anderen Seite. Ich
ging bis zum Ismailoffschen Thiergarten — immer
noch sah ich Niemand! Ich schickte den Kutscher
fort und ging zu Fuß. Als ich so auf- und abging,
sah ich einen Wagen auf einem anderen Wege;
der junge, schöne Kutscher stand dabei.

„Kam hier nicht," fragte ich ihn, „ein großer
Herr in einem Strohhut mit einer Dame vorbei?"

„Ich sah Niemand," antwortete der Kutscher
verdrießlich.

„Aber mit wem bist du hier?"

„Mit einer Herrschaft."

„Wie heißt sie?"

„Was geht's Euch an?"

„Ei, Bruder, wenn ich kein Interesse dabei hätte, so würde ich dich nicht fragen."

Der Kutscher sah mich mit einem prüfenden Blick an und lächelte; mein Aussehn schien ihn günstiger für mich zu stimmen. „Wenn Sie ein Geschäft haben, so müssen Sie doch die Namen derer kennen, mit denen Sie es abmachen wollen."

„Ach du Kieselstein! Nun ich warte auf die Dame, die K. führt."

Der Kutscher lächelte wieder und zeigte mit dem Finger nach dem Kirchhofe, indem er sagte: „Da — sehen Sie — das Schwarze, das ist er und die Dame ist bei ihm; einen Hut hatte sie nicht mitgenommen, da hat G. K. ihr den seinigen gegeben, der zum Glück ein Strohhut war."

Auch dieses Mal wieder begegneten wir uns auf dem Kirchhofe!

Sie warf sich mit einem leichten Schrei in meine Arme. — „Auf ewig!" sagte sie; „auf ewig!" wiederholte ich. K. war gerührt, die Thränen liefen ihm über die Wangen, er nahm unsere Hände und sagte mit zitternder Stimme: „Seid glücklich, Freunde!" — Wir umarmten ihn. Das war unsere wirkliche Einsegnung!

8*

Wir saßen bereits länger als eine Stunde in einem besondern Zimmer beim Perowischen Restaurant und der Wagen mit Matwei kam noch immer nicht. K. ward unruhig. Wir glaubten nicht an die Möglichkeit eines Unglücks, es war uns so wohl hier zu Dreien und wir fühlten uns so heimisch, als wären wir immer hier gewesen. Vor den Fenstern war ein Wäldchen, von unten hörte man Musik und einen Zigeuner-Chor; der Tag war wunderschön nach dem Gewitter.

Polizeiliche Nachstellungen von Seiten der Fürstin fürchtete ich nicht, wie K. es that; ich wußte, daß sie schon aus Hochmuth die Polizei nicht in eine Familienangelegenheit mischen würde. Außerdem unternahm sie nichts ohne den Senator und dieser nichts ohne meinen Vater; mein Vater aber würde es nie zugegeben haben, daß die Polizei mich in Moskau oder in der Nähe von Moskau finge, welches dasselbe gewesen wäre, als mich, wegen Uebertretung des allerhöchsten Willens, nach Bobruisk oder Sibirien zu schicken. Die Gefahr konnte also nur von Seiten der geheimen Polizei kommen; aber es war Alles so schnell geschehen, daß diese kaum etwas erfahren haben konnte, und selbst wenn dies der Fall gewesen wäre — wer würde geglaubt haben, daß ein Mensch, der heimlich sich der Verbannung entzogen, um seine Braut zu entführen, ruhig beim Perowischen Restaurant sitzen würde, wo das Volk aus = und eingeht vom Morgen bis zum Abend?

Endlich erschien Matwei mit der Kutsche. „Noch einen Pokal," commandirte K., „und dann fort!"

Und nun waren wir allein, d. h. zu Zweien, auf dem Wege nach Wladimir!

In Bunkowa, wo wir die Pferde wechselten, gingen wir in den Posthof. Die alte Wirthin fragte, ob sie uns mit etwas dienen könne und fuhr dann fort, uns gutmüthig ansehend: „Welch' eine junge Hausfrau ihr da habt — und wie schön! Nun Gott sei mit euch, mein Pärchen!" Wir errötheten bis an die Ohren und wagten nicht Einer den Andern anzusehen; dann verlangten wir Thee, um die Verlegenheit zu verbergen. Am folgenden Tage um sechs Uhr kamen wir in Wladimir an. Es war keine Zeit zu verlieren; ich ließ meine Braut bei der Familie eines alten Beamten und stürzte fort um zu hören, ob Alles bereit sei. Aber wer konnte in Wladimir Alles vorbereitet haben?

Ueberall jedoch giebt es gute Menschen. In Wladimir stand damals das sibirische Uhlanen = Regiment; ich war wenig mit den Offizieren bekannt, nur mit einem, den ich öfter in der öffentlichen Bi=

bliothek traf, war ich insoweit vertraut geworden, daß ich ihn und er mich grüßte; er war sehr unterrichtet und liebenswürdig. Einen Monat vorher ungefähr hatte er mir entdeckt, daß er mich und meine Geschichte vom Jahre 1834 kenne und daß er selbst ein Student der Moskauer Universität gewesen sei. Als ich Wladimir verlassen wollte und überlegte, wem ich die Besorgung meiner Angelegenheiten übertragen könnte, fiel er mir ein, ich ging zu ihm und sagte ihm geradezu, um was es sich handle. Er war aufrichtig gerührt von meinem Vertrauen, drückte mir die Hand, versprach Alles und erfüllte Alles.

Er erwartete mich in aller Form, mit weißen Aufschlägen, mit dem Tschako ohne Ueberzug, mit der Schärpe über der Schulter, mit allen möglichen Schnüren. Er theilte mir mit, daß der Erzbischof dem Priester erlaubt habe, die Trauung zu vollziehen, aber zugleich verlangt hätte, vorher den Taufschein zu sehen. Ich gab dem Offizier den Schein und ging selbst zu einem andern jungen Manne, der auch auf der Moskauer Universität gewesen war. Er diente, nach einem neuen Gesetz, seine zwei Gouvernements-Jahre in der Kanzlei des Gouverneurs aus und verging vor Langerweile. „Wollen Sie Brautführer sein?" sagte ich ihm. — „Bei wem?" — „Bei mir." — „Bei Ihnen?" —

„Ja, ja, bei mir." — „O sehr gern; wann?" —
„Auf der Stelle." — Er glaubte ich scherzte, aber
als ich ihm die Sache in der Kürze erzählte, sprang
er hoch auf vor Freude — ein Brautführer bei einer
geheimen Trauung zu sein, etwas zu thun zu haben, möglicherweise in eine Untersuchung verwickelt
zu werden — und Alles dies in einer Stadt, welche
nicht die geringste Zerstreuung darbot! — er versprach sogleich einen Wagen mit vier Pferden für
mich zu besorgen, und rannte nach seiner Commode,
um nachzusehen, ob er eine reine weiße Weste habe.

Als ich ihn verließ, begegnete ich meinem Uhlanen; er führte den Geistlichen, der fast auf seinen
Knien saß, im Wagen herbei. Man stelle sich den
buntscheckigen, geputzten Uhlanen vor, in einer kleinen Droschke mit einem dicken Popen mit langem,
glatt gekämmten Bart und einem seidnen Priesterkleid,
dessen Falten über all dem unnöthigen Schmuck des
Offiziers hingen. Diese einzige Scene war geeignet,
nicht nur die Aufmerksamkeit aller Vorübergehenden
in der Straße vom Wladimirer Goldnen Thor
auf sich zu ziehn, sondern sie würde dies auch auf
den Pariser Boulevards und selbst in der Londoner
Regent-street gethan haben. Aber der Uhlan dachte
daran nicht und ich dachte auch erst später daran.
Der Priester war in den Häusern umhergegangen

zum Dankgebet, es war Nicolaus-Tag, und mein
Cavallerist hatte ihn irgendwo aufgegriffen und in
Requisition genommen. Wir fuhren zum Erzbischof.

Um meinen Lesern den Zusammenhang der
Sache begreiflich zu machen, muß ich erst erzählen,
wie der Erzbischof in diese Geschichte verwickelt war.
Einen Tag vor meiner Ankunft erklärte der Geistliche, der eingewilligt hatte die Trauung zu vollziehen, daß er es nicht thun könne ohne die Einwil-
ligung des Erzbischofs, weil er etwas gehört habe,
das ihm Angst mache. Wie viele oratorische Künste
der Uhlan und ich auch verschwendeten, der Geistliche blieb hartnäckig bei seinem Entschlusse. Der
Uhlan schlug vor, ihren Regimentspopen zu versuchen. Dieser Pope, rasirt und geschoren, in einem
Ueberrock mit langen Schößen, die Stiefeln über die
Hosen, ruhig sein Soldatenpfeifchen rauchend, war
zwar gerührt von einigen Umständen unseres Vor-
schlags, schlug es aber doch ab uns zu trauen, indem er, noch dazu im polnisch-kleinrussischen Dialekt,
sagte, daß es ihm auf das Allerstrengste verboten
sei, „Civilische" zu trauen. — „Uns ist es noch
strenger verboten, ohne Erlaubniß Zeuge und Brautführer zu sein," bemerkte der Offizier, „und ich thue
es doch!"

„Das ist eine andere Sache, bei Jesus, eine andere Sache!"

„Dem Kühnen hilft Gott," sagte ich zum Uh-lanen; „ich gehe zum Erzbischof. Aber a propos! warum fragen Sie denn nicht um Erlaubniß?"

„Ist nicht nöthig. Der Oberst sagt es seiner Frau und die schwäzt es aus. Ja am Ende er-laubt er es gar nicht."

Der Wladimirer Erzbischof Parstenin war ein kluger, strenger, grober, alter Mann; ein organisi-render und eigensinniger Kopf. Er hätte Gouver-neur oder General sein können, und ich glaube, als General wäre er besser an seinem Plaze gewesen, denn als Mönch. Aber er wurde Mönch und Erz-bischof und befehligte nun seine Untergebenen ebenso, wie er eine Division im Kaukasus befehligt haben würde. Ich bemerkte an ihm die Eigenschaften ei-nes Administratoren ausgeprägter als diejenigen eines Hirten der „Lebendigen." Er war übrigens mehr ein rauher als ein böser Mensch. Wie alle Geschäftsmenschen begriff er die Fragen schnell und leicht und erzürnte sich, wenn man ihm Unsinn vor-sprach oder ihn nicht verstand. Mit solchen Men-schen ist es viel leichter sich zu verständigen als mit weicheren, aber schwachen und unentschiedenen Natu-ren. Nach der Gewohnheit aller Provinzstädte war ich, bald nach meiner Ankunft in Wladimir, einmal nach der Messe zu ihm gegangen. Er empfing mich freundlich, segnete mich und bewirthete mich mit Lachs; dann lud er mich ein zuweilen des Abends zu ihm zu kommen, um zu plaudern, da er schwache Augen habe und nicht lesen könne. Ich besuchte ihn zwei oder drei Mal; er sprach über Literatur, kannte alle neuen russischen Bücher, las die Journale und ich stand auf dem besten Fuße mit ihm. Dessenungeachtet trat ich jetzt nicht ohne Furcht in seinen bischöflichen Hof.

Der Tag war heiß. Der ehrwürdige Parsie- nin empfing mich in dem Garten. Er saß unter einer großen, schattigen Linde, hatte seine Mönchsmütze abgenommen und seine grauen Haare waren verwirrt. Vor ihm stand, ohne Hut, in der Sonne, ein wohl- gebildeter, kahlköpfiger Protopop und las laut et- was vor; sein Gesicht war purpurfarbig und dicke Schweißtropfen standen auf seiner Stirn; er blin- zelte, indem er auf das von der Sonne beschienene, blendend weiße Papier sah, wagte jedoch nicht von der Stelle zu gehen, und der Erzbischof sagte ihm nicht, daß er sich anders stellen möge.

„Setzen Sie sich," sagte er zu mir, indem er mich segnete; „wir werden sogleich fertig sein; dies sind unsere Consistoriums-Angelegenheiten. Lies," fuhr er zu dem Protopopen fort und dieser, nachdem er sich mit einem blauen Taschentuch abgewischt und zur Seite ausgespuckt hatte, fing von Neuem an zu lesen.

„Was haben Sie Neues?" fragte mich Par-sienin, indem er dem Protopopen, der diese schöne Gelegenheit benutzte um ihm die Hand zu küssen, die Feder gab.

Ich erzählte ihm von der Weigerung des Geist-lichen.

„Haben Sie den Schein?"

Ich zeigte ihm den Beschluß des Gouverneurs.

„Nur das?"

„Nur das."

Parsienin lächelte. „Und von Seiten der Braut?"

„Sie hat ihren Geburtsschein, den ich am Tage der Hochzeit vorzeigen werde."

„Wann soll die Hochzeit sein?"

„In zwei Tagen."

„Haben Sie schon eine Wohnung?"

„Noch nicht."

„Nun sehen Sie," sagte Parsienin, indem er die Finger in die Lippen legte und den Mund zur Seite zog, welches eins seiner Lieblingsmanöver war, „Sie sind ein vernünftiger Mensch und belesen und denken doch, Sie können den alten Vogel so fau-

gen? Irgend etwas ist bei Ihnen nicht in Ordnung.
Sie würden besser thun, mir Ihre ganze Sache gewissenhaft, wie in der Beichte, zu erzählen. Dann
werde ich Ihnen auch geradezu sagen, was möglich
und was unmöglich ist. Keinenfalls werde ich Ihnen
einen schlechten Rath geben."

Meine Sache erschien mir so rein und gerecht,
daß ich ihm Alles erzählte, versteht sich ohne in unnöthige Details einzugehen. Der Alte hörte aufmerksam zu und sah mir öfter scharf in die Augen.
Es ergab sich, daß er ein alter Bekannter der Fürstin war und zum Theil meine Geschichte bereits
kannte, so daß die Wahrheit meiner Erzählung überhaupt ihm sofort glaublich erschien.

„Ich verstehe, ich verstehe," sagte er, als ich
geendet hatte. „Nun warten Sie, ich werde der
Fürstin einen Brief schreiben."

„Sie können überzeugt sein, daß alle friedlichen
Mittel zu nichts führen, als zu Capriçen und zu
Verhärtung. Ich habe Eure Hochehrwürden Alles
erzählt, was Sie zu wissen verlangt haben; ich füge
jetzt hinzu, daß, wenn Sie mir Ihre Hülfe versagen,
ich genöthigt sein werde, das in geheimer, diebischer
Weise, mit Geld, zu Stande zu bringen, was ich
jetzt ohne Lärm, aber gerade und offen thun will.

Eins kann ich Sie versichern, daß weder Gefängniß noch neue Verbannung mich abschrecken werden."

„Hoho!" sagte Parstenin, indem er aufstand und sich reckte, „was das für ein Hitzkopf ist!" War Perm dir noch zu wenig? muß es noch besser kommen? Sage ich denn, daß ich es verbiete? Heirathen? — meinetwegen! dabei ist nichts Gesetzwidriges; es wäre besser gewesen, wenn es ruhig, mit Zustimmung der Familie hätte geschehen können — nun — aber — schicken Sie mir Ihren Popen, ich will ihn überreden; auf Eins jedoch mache ich Sie aufmerksam: ohne Dokumente von Seiten der Braut versuchen Sie es nur gar nicht. So also: weder Gefängniß noch Exil? — was das heut' zu Tage für Menschen sind! — Nun Gott sei mit euch! Aber mit der Fürstin verfeindest du mich."

So geschah's, daß, außer dem Uhlanen, auch noch Se. Heiligkeit Parstenin, Erzbischof von Wladimir und Susdal, unserer Verschwörung beitrat.

Als ich vom Gouverneur mir vorläufig die Erlaubniß holte, sprach ich von meiner Verheirathung durchaus nicht als von einem Geheimnisse; dies war das sicherste Mittel zu verhüten, daß davon gesprochen würde und daß, da ich nicht zu ihr gehen konnte, Jedermann die Ankunft meiner Braut in Wladimir als ganz natürlich ansah. Eben so natürlich erschein

es auch, daß wir uns gleich nach ihrer Ankunft zu
verheirathen wünschten.

Als ich am neunten Mai mit dem Geistlichen
zum Erzbischof ging, benachrichtigte uns sein Diener-
der Bruder, daß er am Morgen nach seinem Land-
hause gegangen sei und vor Nachts nicht zurückkehren
werde. Es war bereits acht Uhr Abends, nach zehn
Uhr konnte man sich nicht mehr trauen lassen, und
der folgende Tag war ein Sonnabend. Was war
zu machen? Der Geistliche fürchtete sich. Wir gingen zum Hieromonachen, dem Beichtvater des Erzbischofs; der Mönch saß bei einer Tasse Thee mit
Rum und war in der besten Stimmung. Ich erzählte ihm die Sache, er schenkte mir auch eine
Tasse ein und nöthigte mich, Rum dazu zu nehmen.
Dann setzte er eine ungeheure silberne Brille auf,
las den Taufschein durch, drehte ihn um und betrachtete ihn von der Seite, wo nichts geschrieben
stand, faltete dann das Papier zusammen und sagte,
indem er es dem Popen gab: „Es ist in der besten
Ordnung.“ Der Pope zögerte noch. Ich sagte dem
Vater Hieromonach, daß, wenn ich nicht heute noch
getraut würde, mir dies äußerst unangenehm wäre.
„Was ist denn da zu zögern?“ sagte der Hieromonach; „ich werde es dem Hochehrwürdigsten berichten;
traut sie, Vater Johann, traut sie — im Namen

des Vaters, des Sohnes und des heiligen Geistes, Amen!" — Während der Pope ging, um das Zeugniß zu schreiben, daß wir nicht mit einander verwandt wären, eilte ich Natalie zu holen.

Als wir aus dem Goldnen Thor gingen, blitzte uns die Sonne, die bis dahin mit Wolken bedeckt gewesen war, plötzlich so blendend mit ihren letzten, hellrothen Strahlen an und schien so feierlich und herrlich, daß wir Beide wie mit einem Munde sagten: „Das ist unser Hochzeitsgeleite!" Ich erinnere mich noch heute ihres Lächelns und ihres Händedrucks bei diesen Worten.

Die kleine Poststations-Kirche, die etwa drei Werst von der Stadt entfernt liegt, war leer, weder Sänger, noch angezündete Kronleuchter waren da. Ungefähr fünf gemeine Uhlanen, die vorbeigingen, traten ein. Der alte Küster sang mit ruhiger, schwacher Stimme, Matwei sah mit Freudenthränen auf uns, die jungen Brautführer erwarteten uns mit schwerfälligen Brautkronen, mit denen alle Wladimirer Postillone getraut werden. Der Küster reichte mit zitternden Händen den silbernen Kelch der Einigkeit, *) — in der Kirche wurde es dunkel, nur

---

*) Sitte in der griechischen Kirche bei Trauungen, nicht den Kelch des Abendmahls, sondern der Einigung von Mann und Frau.

einige Wachskerzen brannten. Alles dies war, oder
erschien uns wenigstens sehr schön, gerade um seiner
Einfachheit willen. Der Erzbischof fuhr vorüber
und da er die Thüren der Kirche offen sah, ließ er
halten und fragen, was da vorginge. Der Pope,
ein wenig erbleichend, ging selbst hinaus zu ihm,
er kehrte aber schon nach einigen Augenblicken mit
fröhlichem Gesicht zurück, und sagte: „Der Hoch-
ehrwürdigste sendet Euch seinen erzbischöflichen Segen und befiehlt mir, Euch zu sagen, daß er für
Euch betet."

Als wir nach Hause gingen, hatte sich die Nachricht von der geheimen Trauung schon in der Stadt
verbreitet; die Damen warteten auf den Balconen,
die Fenster waren geöffnet — ich ließ das Kutschen-
fenster herunter und ärgerte mich, daß die Dämmerung verhinderte, die „junge Frau" zu zeigen.

Zu Hause tranken wir mit den Brautführern
und Matwei zwei Flaschen Wein; die Brautführer
blieben noch etwa zwanzig Minuten und dann waren
wir allein und es war uns wieder wie in Perowa,
es schien so natürlich, so einfach, daß wir uns gar
nicht wunderten; später haben wir uns ganze Monate lang nicht genug darüber verwundern können.

Wir hatten drei Zimmer; wir saßen jetzt im
Wohnzimmer an einem kleinen Tische und sprachen,

unberührt von den Anstrengungen der letzten Tage, einen Theil der Nacht hindurch. — —

Ein Haufe fremder Gäste bei einem Hochzeits-mahle ist mir immer als etwas Rohes, Unanständi-ges, beinahe Cynisches erschienen. Wozu dieses vor-zeitige Enthüllen der Mysterien der Liebe, dieses Ein-weihen fremder, gleichgültiger Menschen in das Ge-heimniß der Familie? Wie muß es das arme Mäd-chen verletzen, das ganz öffentlich als Braut hin-gestellt wird, und alle diese abgedroschenen Redens-arten, diese übertünchten Gemeinheiten, diese dum-men Anspielungen, in denen die zartesten Gefühle nicht geschont werden, anhören muß; wenn der Lu-xus des bräutlichen Lagers, die Pracht der Nacht-kleidung nicht nur der Bewunderung der Gäste, son-dern aller müssigen Herumstreicher bloßgestellt wer-den. Und dann die ersten Tage eines neuen Lebens, wo jeder Augenblick kostbar ist, wo man am liebsten mit seinem Glücke weit weg in die Einsamkeit eilen möchte — mit unendlichen Gastmahlen, mit ermü-denden Bällen im Menschengewühl, als wie zum Spott, hinbringen zu müssen!

Am folgenden Morgen fanden wir im Wohn-zimmer zwei Rosenstöcke und ein prächtiges Bouquet. Die liebenswürdige gute Kuruta (die Frau des Gou-verneurs) hatte sie geschickt, da sie den wärmsten

Antheil an unserm Romane nahm. Ich umarmte und küßte den Lakaien, der sie brachte, und darauf gingen wir selbst zu ihr. Da die ganze Mitgift der „jungen Frau" aus zwei Kleidern bestand, einem Reisekleid und dem Hochzeitskleide, so ging sie im Hochzeitskleide.

Von Julia Fedorowna gingen wir zum Erzbischof; der Alte führte uns in den Garten, pflückte selbst ein Bouquet Blumen, erzählte Natalie, wie ich ihn mit meinem eigenen Verderben bedroht hätte und rieth ihr zum Schluß, sich mit dem Haushalte zu beschäftigen.

„Verstehen Sie denn, Gurken einzusalzen?" fragte er sie.

„Ja das verstehe ich," antwortete sie lachend.

„Hm! es ist schwer zu glauben, aber das ist unentbehrlich." —

Am Abend schrieb ich meinem Vater einen Brief. Ich bat ihn sich über eine geschehene Sache nicht zu erzürnen und da „Gott uns vereinigt habe," mir zu verzeihen und seinen Segen dazu zu geben. Mein Vater schrieb mir gewöhnlich einmal die Woche einige Zeilen, er verzögerte die Antwort auch diesmal nicht um einen Tag. Der Anfang des Briefes war sogar wie gewöhnlich; dann schloß er: „Deinen Brief vom 10. Mai erhielt ich am dritten Tage um fünf ein halb Uhr und ersah daraus nicht ohne Kummer, daß Gott dich mit Natalie vereinigt hat. Was der Wille Gottes ist, darein habe ich mich nicht zu mischen und ich unterwerfe mich blindlings der Prüfung, welche er über mich verhängt hat. Da aber das Geld mein ist, so erkläre ich dir, daß, so wie du es nicht für nöthig gefunden hast dich meinem Willen zu fügen, ich auch zu deiner früheren Einnahme von tausend Rubel S. jährlich keinen Kopek hinzufügen werde."

Wie herzlich lachten wir über diese Theilung der geistlichen und weltlichen Macht!

Aber wir brauchten in der That sehr nöthig Geld; denn das, welches ich geliehen hatte, war ausgegeben. Wir hatten Nichts, buchstäblich Nichts, weder Kleider, noch Wäsche, noch Hausgeräth. Wir saßen wie im Arrest in einem kleinen Quartiere, weil wir nicht das Nöthige hatten, um auszugehen. Matwei machte einen verzweifelten Versuch sich in einen Koch umzuwandeln, aber außer Beefsteaks und Coteletten verstand er von den culinarischen Künsten nichts, und hielt sich daher mehr an Gegenstände, die gleich mundrecht waren, als: Schinken, gesalzne Fische, Milch, Eier, Käse und eine Art Kuchen mit Pfeffermünze, der gewöhnlich sehr altbacken war. Die Mahlzeiten wurden unter unaufhörlichem, lautem Ge=

9*

lächter gehalten; zuweilen wurde die Milch am Anfang gegeben, dann bedeutete sie Suppe, zuweilen
am Schluß, dann stellte sie das Dessert vor. Nach
diesen spartanischen Mahlen erinnerten wir uns lächelnd des Mittagstisches bei der Fürstin oder bei
meinem Vater, wo ein halbes Dutzend Offizianten
immer aus einer Ecke in die andere liefen, mit Tassen und Tellern und mit dieser feierlichen Schau-
stellung das, im Wesentlichen sehr spärliche, Essen
zu verdecken suchten.

So lebten wir in Armuth ein ganzes Jahr
lang. Der Chemiker schickte zehntausend Rubel, von
denen aber mehr als sechstausend für die aufgelau-
fenen Schulden verwendet wurden; das Uebrige brachte
große Hülfe. Endlich wurde es auch meinem Vater
langweilig, uns wie eine Festung durch Hunger ein-
zunehmen, er fügte zwar nichts zu der Einnahme
hinzu, aber er schickte Geldgeschenke, ungeachtet ich
nie wieder, nach seinem berühmten distinguo! ihn
um Geld gebeten hatte. Ich suchte nun eine andere
Wohnung. Hinter dem Fluß vermiethete man ein
etwas verfallnes, großes, herrschaftliches Haus mit
einem Garten. Es gehörte der Wittwe eines Fürsten, der sich durch das Spiel zu Grunde gerichtet
hatte; sie gab es wohlfeil, weil es entfernt lag, un-
bequem war und weil sie sich einen Theil desselben,

der durch Nichts abgetheilt war, für ihren Sohn, einen ungezogenen Bengel von dreizehn Jahren, und für seine Diener vorbehielt. Niemand wollte sich zu dieser halben Wirthschaft verstehen; ich verstand mich sogleich dazu, denn mich bezauberten die hohen Zimmer, die großen Fenster, der geräumige, schattige Garten. Aber gerade diese Höhe der Zimmer, diese Größe der Fenster ließen recht deutlich unsern Mangel jedes beweglichen Eigenthums, aller Gegenstände der äußersten Nothdurft erkennen. Die Haushälterin der Fürstin, eine gute alte Frau, die sehr wohlwollend gegen Matwei gesinnt war, versorgte uns, auf ihre Verantwortung hin, mit Tischtüchern, Tassen, Betttüchern, Messern und Gabeln.

Welche heiteren, ungetrübten Tage verbrachten wir in dem kleinen Quartier mit drei Stuben am Goldnen Thor und in dem großen Hause der Fürstin! In diesem Letzteren war ein großer Saal, kaum möblirt; zuweilen ergriff uns eine so kindische Lustigkeit, daß wir in den Saal liefen, auf Tische und Stühle sprangen, die Lichter auf den Candelabern, die an den Wänden befestigt waren, anzündeten und, wenn der Saal in Tageshelle glänzte, uns hinsetzten und Gedichte lasen. Matwei und das Dienstmädchen, eine junge Griechin, nahmen an Allem Theil und amüsirten sich nicht weniger als wir. „Die Ordnung herrschte nicht in unserem Hause!"

Aber trotz all' dieser jeweiligen Kinderei war unser Leben doch voll tiefen Ernstes. In die kleine, ruhige und friedliche Stadt verschlagen, waren wir völlig auf uns selbst beschränkt. Zuweilen kam einmal Nachricht von einem der Freunde, einige Worte wärmster Sympathie — und dann waren wir wieder allein, völlig allein. Aber in dieser Einsamkeit verschlossen wir unsere Herzen der Außenwelt nicht; im Gegentheil wir waren mehr als je für alles Interessante, was an uns herantrat, empfänglich; wir lebten ein volles Leben nach allen Seiten, dachten und lasen, gaben uns Allem hin und vereinigten wieder Alles in dem Mittelpunkt unserer Liebe.

Wir verglichen unsere Gedanken und Träume und sahen mit Erstaunen, wie innig unsere Uebereinstimmung war, wie selbst in den kleinsten, kaum merklichen Wendungen und Nüançen der Gefühle und Gedanken unser Geschmack und unsere Abneigung sich vollkommen glichen und entsprachen. Die Verschiedenheit bestand nur darin, daß Natalie ein ruhiges, sanftes, gracieuses Element in unsern Bund brachte, ein Element des jungen Mädchens vereinigt mit aller Poesie der liebenden Frau, und ich — die lebendige Thätigkeit, mein semper in motu, die gren-

zenlose Liebe und außerdem die Aufregung ernster
Gedanken, das Lachen, gefährliche Ideen und
Haufen voll unmöglicher Projekte.

„— — — Meine Wünsche standen still. Ich
war zufrieden, ich lebte in der Gegenwart und erwartete nichts vom kommenden Tage, ja ich war
sorglos überzeugt, daß er nichts würde bringen können. Das individuelle Leben konnte nicht mehr geben, dies war die Grenze; jede Veränderung mußte
in irgend einer Weise nachtheilig sein.“

„Im Frühling kam N. aus seinem Exil und
auf einige Tage zu uns. Er war damals in der
vollen Blüthe seiner Entwicklung; kurze Zeit nachher hatte er bittere Erfahrungen durchzumachen; auf
Augenblicke schien es, als ob er fühlte, daß das
Unglück nahe sei, aber noch konnte er sich davon
abwenden und die über ihm schwebende Hand des
Schicksals für einen Traum nehmen. Ich selbst
dachte auch damals noch, daß diese Wolken sich zerstreuen würden. Sorglosigkeit ist das Eigenthum
der Jugend und der ungeschwächten Kraft, darin
zeigt sich der Glaube an das Leben, an sich selbst.
Das Gefühl, unser Geschick völlig beherrschen zu
können, schläfert uns ein, — und inzwischen ziehen
uns die dunkeln Mächte, die bösen Menschen, ohne ein
Wort zu sagen, an den Rand des Abgrunds.“

Und es ist gut, daß der Mensch nichts arg-
wöhnt oder es versteht nicht zu sehen und zu vergessen. Völliges Glück ist nicht möglich mit Furcht;
völliges Glück ist ruhig wie das Meer zur Zeit der
Sommerstille. Die Furcht giebt einen kränklichen,
verwirrenden Rausch, der gefällt wie die Erwartung
im Kartenspiel, aber weit entfernt ist von dem Gefühl harmonischen unendlichen Friedens. Und, mag
es ein Traum sein oder nicht, aber ich schätze diesen
Glauben an das Leben unendlich hoch, so lange ihn
das Leben selbst nicht widerlegt, nicht zerstört — —
die Chinesen sterben, indem sie sich in Opium betrinken!" — So schloß ich das Kapitel im Jahre
1853, so schließe ich es auch jetzt.

Siebentes Kapitel.

Der 13. Juni 1839.

Einmal an einem langen Winterabend, gegen Ende des Jahres 1838, saßen wir, wie gewöhnlich, allein. Wir lasen und lasen auch nicht, wir sprachen und schwiegen und indem wir schwiegen, fuhren wir fort mit einander zu reden. Draußen fror es stark und im Zimmer war es auch nicht sehr warm. Natalie fühlte sich nicht ganz wohl und lag auf dem Divan mit ihrer Mantille bedeckt, während ich bei ihr auf der Erde saß. Mit dem Lesen wollte es nicht gehen, Natalie war zerstreut und dachte an etwas Anderes. Sie war sichtlich mit etwas beschäftigt, ihr Gesicht wechselte die Farbe. — „Alexander," sagte sie, „ich habe dir ein Geheimniß zu entdecken, komm näher herbei, damit ich dir's in das Ohr sage — aber nein, errath' es lieber." Ich

errieth, aber ich verlangte, daß sie es sage, diese
Nachricht wollte ich von ihr selbst hören. Sie sagte
es mir und wir schauten uns bewegt und mit Thränen in den Augen an und sprachen kein Wort.

Wie fähig ist die menschliche Brust das Glück
zu fühlen! — Wenn die Menschen es nur verstän-
den, sich ihm ohne Nebengedanken, ohne Zerstreuung
hinzugeben! Gewöhnlich stören der äußere Lärm,
die flüchtigen Beschäftigungen, eine kleinliche Angst,
eine reizbare Empfindlichkeit, kurz all' dieser Staub,
der sich nach und nach gegen die Mitte des Lebens
zu auf dem Herzen ablagert, die reine Freude, den
ungetrübten Genuß. Wir lassen die besten, die sel-
tensten Augenblicke des Glücks vorübergehn, als wenn
wir einen Wunder wie großen Vorrath davon vor
uns hätten. Wir denken an den morgenden Tag,
an das kommende Jahr, wenn wir statt dessen den
vollen Becher, den die Gegenwart uns bietet, mit
beiden Händen ergreifen und trinken und immer
wieder trinken sollten. Denn die Natur giebt ohne
gebeten zu sein, aber sie wartet nicht — und der
Becher geht in andere Hände über. — An das Morgen denken? — aber wer sagt uns denn, daß ein
Morgen sein wird? — Und wenn es eins giebt, so
gehört es vielleicht nicht mehr unser!

Wir hatten geglaubt, unser Glück wäre keiner

Vervollkommnung mehr fähig, aber die Aussicht auf ein neues Wesen, auf ein Kind, eröffnete in unserem Herzen Welten, die wir bis dahin noch nicht gekannt hatten, erweckte Gefühle voll trunknen Glücks, gemischt mit Schreck, Hoffnung, Unruhe und leidenschaftlicher Erwartung.

Das ist der Anfang der Familie; denn ohne Kind existirt eine Familie noch gar nicht. Die erschrockne Liebe wird dann noch zärtlicher, macht sich zum Krankenwärter, sorgt und pflegt. Der Egoismus zu Zweien wird nicht nur zum Egoismus zu Dreien, sondern auch zur Resignation von Zweien für einen Dritten. Ein neues Element tritt in die Intimität des Lebens ein; ein geheimnißvolles Wesen klopft an die Thür, ein Gast, der ist und nicht ist, der aber schon völlig nöthig und unentbehrlich geworden ist. Wer ist er? — Niemand weiß es. Aber wer du auch seist, Unbekannter, du bist glücklich! — Mit welcher Liebe, mit welcher Zärtlichkeit empfängt man dich auf der Schwelle des Lebens!

Und welche Unruhe, welche Zweifel! — wird er leben oder nicht? — Es giebt so viele unglückliche Zufälle und sie sind nicht selten. — Der Doktor lächelt zu den Fragen, will nichts sagen oder weiß nichts zu antworten. Man verbirgt es noch vor

Andern, man hat Niemand nm einen Rath zu fragen, ja und man schämt sich auch.

Aber das Kind giebt Zeichen seines Lebens. Ich kenne kein frömmeres, religiöseres Gefühl als das, welches die Seele füllt, wenn die Hand die ersten Bewegungen des künftigen Lebens, das seine Bande sprengen will, das heraus möchte an das Tageslicht und seine noch unreifen und eingeschlafnen Muskeln probirt, fühlt. — Das ist die erste Hand-auflegung, durch welche der Vater das künftige We-sen segnet und ihm einen Theil seiner selbst abtritt.

„Meine Frau," sagte mir eines Tages ein französischer Bourgeois, indem er sich umsah, ob nicht in der Stube junge Mädchen oder Kinder wären, dann fügte er flüsternd hinzu: „meine Frau ist guter Hoffnung."

Ja, so groß ist die Verwirrung der moralischen Begriffe noch, daß, über den Zustand einer schwange-ren Frau zu sprechen, die Sitten verletzt. Und — wie sonderbar! — man verlangt eine absolute Ehr-furcht, eine Verehrung ohne Grenzen für die Mutter, wie sie auch immer sein mag, und verhüllt doch das Geheimniß der Geburt, nicht etwa aus einem Gefühl von Frömmigkeit oder Ehrfurcht, sondern aus — Schicklichkeit. — Alles das ist das Resultat der ideellen Entzweiung, der mönchischen Verderbtheit,

des ewigen, verwünschten Opfers des Fleisches, des
unglücklichen Dualismus, der uns nach zwei ent-
gegengesetzten Seiten auseinander reißt, wie die
Hemisphären von Magdeburg. Vor zwei Jahren
las ich in einem Buche, welches von einem Sociali-
sten geschrieben ist, daß mit der Zeit die Kinder auf
andere Weise in die Welt kommen werden! — Wie
aber? — wie die Engel? — Das ist außerordentlich klar! — Ehre dem alten Realisten Göthe, unser
aller Lehrer, der es zuerst gewagt hat, an die Seite
der Jungfrau des Romantismus die schwangere
Frau zu stellen und der sich nicht scheute, die ver-
änderten Formen der künftigen Mutter zu
meißeln und sie mit den schlanken Formen der künftigen Gattin zu vergleichen.

In der That, die Frau, die, mit der Erinnerung
an die vergangenen Entzückungen, auch das ganze
Kreuz, die ganze Last der Liebe trägt, die ihre Schönheit, ihr Leben opfert, die leidet und endlich an ihrer
Brust ernährt, ist eine der poetischesten und rüh-
rendsten Vorstellungen, die es giebt.

In den römischen Elegien, in der Weberin, in
Gretchen und ihrem verzweiflungsvollen Gebet,
Göthe die hohe Würde, mit der die Natur die rei-
fende Frucht umgiebt, aber auch die Dornenkrone,

welche die Gesellschaft auf das Gefäß der Zukunft drückt, geschildert.

Arme Mütter, welche die Folgen der Liebe gleich einer Schmach verstecken müssen! Mit welcher Unmenschlichkeit, mit welcher Rohheit verfolgt die Welt sie! — Und gerade in der Zeit, wo die Frau ein so unendliches Bedürfniß der Ruhe, der Zärtlichkeit, des Wohlwollens hat, vergiftet man ihr diese unersetzlichen Augenblicke der Fülle, in denen das zarte Leben unter dem Gewicht des Glückes fast erliegt.

Mit Entsetzen entdeckt die unglückliche Mutter das Geheimniß — sie möchte sich bereden, daß es nichts ist — aber bald wird der Zweifel unmöglich, mit Thränen und Angst fühlt sie jede Bewegung des Kindes; sie möchte die geheimnißvolle Arbeit der Natur aufhalten, sie zurückdrängen, sie erwartet einen unglücklichen Zufall wie eine Gnade, wie ein Zeichen der Vergebung. Aber die unerbittliche Natur geht ihren Weg — sie ist so jung, so kräftig! — —

Welch moralisch herrlich eingerichtete Gesellschaft ist diejenige, die eine Mutter zwingt den Tod ihres Kindes zu wünschen oder — noch schlimmer — sich zu seinem Henker zu machen und dann selbst dem Henker überantwortet zu werden, oder die, wenn das weibliche Herz die Oberhand gewinnt, die Frau deshalb beschimpft! —

Und wer hat sich noch dazu jemals die Mühe gegeben, Alles zu studiren, was in diesem Herzen vorging auf dem verhängnißvollen Wege von der Liebe bis zur Furcht, von der Furcht bis zur Verzweiflung und von der Verzweiflung bis zum Verbrechen, — oder vielmehr bis zum Wahnsinn — denn der Kindermord ist eine physiologische Absurdität.

Diese Frau hatte ohne Zweifel auch Augenblicke der Vergessenheit, wo sie ihr künftiges Kind mit Leidenschaft liebte, um so mehr, da seine Existenz ein tiefes Geheimniß war zwischen ihm und ihr. Sie träumte auch von seinen kleinen Beinchen, von seinem Lächeln, von seinen Lippen naß von Milch — von ihrer Milch! — sie drückte es im Traum an ihr Herz, fand, daß es Züge trug, die ihr einst theuer waren — — — und jetzt muß sie es morden! —

O gewiß, es giebt solcher Unglücklichen, wird man sagen; aber hat die Mehrzahl der verworfenen Frauen solche Gefühle?

Der „verworfenen" Frauen? —

Sicherlich giebt es nichts Verworfeneres als diese Eidechsen, diese Fledermäuse, die durch den Nebel der Londoner Nächte schwirren und schlüpfen und (Opfer des Elends, mittelst deren die Gesellschaft die ehrlichen Frauen gegen — das Uebermaß der Leidenschaft ihrer Anbeter schirmt) dem Vorübergehenden ihren, vor Kälte zitternden Leib anbieten, um nicht vor Hunger sterben zu müssen.

In dieser Classe, sollte man denken, müßte es schwer sein die Spur eines mütterlichen Herzens zu finden, nicht wahr?

Nun wohl, ich werde mir erlauben eine kleine Geschichte zu erzählen, die mir passirt ist.

Vor ungefähr drei Jahren begegnete ich einem jungen, sehr hübschen, anmuthigen Mädchen. Sie gehörte zu der Aristokratie der Corruption, d. h. sie trieb nicht den demokratischen Verkehr des Trottoirs, sondern sie wurde „bourgeoisement“ von einem Kaufmann unterhalten. Ich traf sie auf einem öffentlichen Ball; ein Freund, mit dem ich da war, kannte sie. Er forderte sie auf ein Glas Wein mit uns zu trinken, welches sie annahm. Es war ein heiteres, lebhaftes, oberflächliches Geschöpf, das sich, wie die Laura von Puschkin im „Steinernen Gast,“ wenig darum bekümmerte, ob es irgendwo in der Ferne, in Paris z. B., kalt sei, wenn in Madrid der Nachtwächter sein „Tag“ schreit. Als sie ihr letztes Glas hinabgestürzt hatte, eilte sie wieder fort in den schwerfälligen Wirbel des englischen Tanzes und ich verlor sie aus den Augen.

Diesen Winter ging ich an einem regnerischen Abend quer über die Straße, um mich unter den

Arkaden von Pall-Mall zu schützen, als ich unter einer Laterne eine junge, ärmlich angezogne Frau gewahrte, die, in Erwartung einer Beute, vor Kälte zitterte. Es schien mir, als ob ich ihre Züge kenne. Sie warf einen Blick auf mich und wendete sich ab. Aber es war zu spät, ich hatte sie erkannt. Ich näherte mich ihr und fragte sie, wie sie hierher komme? Eine helle Röthe überflog ihre abgezehrten Wangen. War es die Schaam oder die Schwindsucht, ich weiß es nicht, nur schien es mir keine Schminke zu seyn. Sie war in den drittehalb Jahren um zehn gealtert.

„Ich war sehr krank und bin sehr unglücklich," erwiderte sie mir mit tiefer Traurigkeit, indem sie mit einem Blick auf ihre zerrissenen und abgetragenen Kleider zeigte.

„Aber wo ist denn Ihr Freund?";

„Er ist in der Krimm gefallen."

„Ich glaubte, er wäre Kaufmann gewesen?"

Sie wurde etwas verwirrt und ohne mir zu antworten, fuhr sie fort, indem sie mich mit einem traurigen Blick ansah: „Ich bin also sehr verändert?"

„Ja; als ich Sie zum ersten Mal sah, konnte man Sie für ein Kind halten, jetzt sehen Sie aus, als ob Sie selbst Kinder hätten.".

Herzen, Gedachtes und Erlebtes.　　10

Sie erröthete wieder und sagte, ganz verwirrt
von meiner Bemerkung:

„Wie haben Sie es errathen?"

„Das ist einerlei, genug ich hab' es errathen.
Jetzt sagen Sie mir aber im Ernst, was ist Ihnen
begegnet?"

„Nun was? ich — habe wirklich einen Kleinen — wenn Sie ihn sähen — Gott wie er schön
ist! alle Nachbarn sind erstaunt darüber, ich habe
nie ein solches Kind gesehn. — Er hat eine reiche
Frau geheirathet und ist auf den Continent gegangen. Der Kleine ist erst nachher geboren und er
hat mich in dies Elend gebracht, denn zuerst hatte
ich noch Geld, da kaufte ich Alles für ihn in den
großen Läden. Aber nach und nach ging Alles fort,
ich habe versetzt, was ich von guten Sachen hatte.
Sie riethen mir, ich solle das Kind auf's Land geben
zu einer Amme; das wäre freilich besser gewesen,
aber ich kann mich nicht von ihm trennen. Ich sehe
ihn an — und denke — es ist besser zusammen zu
verhungern, als ihn zu Menschen zu geben, die ihn
nicht lieben. Ich wollte mich vermiethen, aber Niemand wollte mich mit dem Kinde nehmen. Dann
bin ich zu meiner Mutter zurückgekommen, sie ist
gut, sie hat mir Alles vergeben, sie liebt das Kind
und pflegt es; aber vor vier Monaten hat sie den

Gebrauch der Beine verloren, ihre Krankheit hat
uns viel gekostet und sie ist noch nicht besser. Sie
wissen selbst, was für ein hartes Jahr es ist, die
Kohlen, das Brod — Alles ist theuer — wir haben
keine Kleider, kein Geld — nun — da mußt' ich
— — o freilich es wäre tausendmal besser sich in
die Themse zu stürzen — es ist kein Vergnügen,
das! — aber wem soll ich den Kleinen lassen? —
er ist schon so lieb, so lieb!"

Ich gab ihr etwas Geld und fügte dann noch
einen Schilling hinzu, indem ich sagte: „Dafür
kaufen Sie dem Kleinen etwas." Sie nahm das
Geld, gab's mir aber plötzlich zurück, indem sie
sagte: „Wenn Sie so viel Güte für mich und den
Kleinen haben, so kaufen Sie ihm selbst etwas in
einem Laden; das Kind hat, seit es geboren ist, nie
ein Geschenk von Jemand erhalten."

Ich sah sie gerührt an und drückte die Hand
dieser „Verworfenen" mit Freundschaft, mit Achtung.

Die Freunde der „Rehabilitation" thäten vielleicht besser, ein wenig aus ihren wohlduftenden
Boudoirs, wo sie auf Sophas von Sammt und
Seide die Damen aux camélias und aux perles
finden, herauszugehn und sich etwas gemein zu machen. Sie würden ernstere Gegenstände des Stu-
diums finden, wenn sie an den Straßenecken der

10 *

verhängnißvollen Corruption, der durch den Hunger
auferlegten Corruption, die ohne Gnade und Erbarmen abwärts zieht, die ihren Opfern nicht erlaubt
anzuhalten und Athem zu schöpfen, in die Augen
sehen wollten. Die Lumpensammler finden öfter
Diamanten in der Gassenrinne, als in den Theater-
lumpen, die mit Goldpailletten übersäet sind.

Dies erinnert mich an den unglücklichen Gérard
de Nerval.*) In der letzten Zeit vor seinem Selbst-
mord verschwand er sehr oft für zwei oder drei Tage.
Man erfuhr endlich, :daß er seine Zeit in den übel
berüchtigtsten Schenken zubrachte. Dort hatte er
mit Räubern und Landstreichern Bekanntschaft an-
geknüpft. Er spielte Karten mit ihnen, traktirte sie
und schlief öfters,unter ihrem Schutz. Seine Freunde
baten ihn, nicht mehr hinzugehen. Aber Nerval
antwortete ihnen mit großer Naivetät: „Lieben
Freunde, ich versichere Euch, Ihr habt sonderbare und
ungerechte Vorurtheile gegen diese Leute; ,glaubt
mir, sie sind nicht besser und nicht schlechter als alle
die Anderen, die ich gekannt habe." — Nach die=
sem Ausspruch zweifelten die „ehrlichen" Leute nicht
mehr an der Geistesverwirrung des Uebersetzers vom
Faust. —

---

*) Der eine vortreffliche Uebersetzung vom Faust gemacht
hat und sich vor einigen Jahren selbst das Leben nahm.

— — — Der verhängnißvolle Tag nahte
heran, meine Angst wurde mit jedem Tage größer.
Ich sah den Doktor und das geheimnißvolle Wesen,
die Hebamme, mit Unterwürfigkeit an. Weder Natalie, noch ich, noch unser junges Dienstmädchen
wußten, was zu thun sei. Glücklicherweise kam eine
alte, gute Dame von Moskau zu uns und ergriff
mit fester Hand die Zügel der Regierung. Ich ge-
horchte wie ein Neger.

Auf einmal des Nachts höre ich eine Stimme,
die mich ruft; ich öffne die Augen, die alte Dame,
in der Nachtjacke, ein Foulardtuch über den Kopf,
ein Licht in der Hand, steht vor mir und befiehlt,
auf der Stelle den Doktor und die Hebamme holen
zu lassen. Ich war halb todt vor Angst, als ob
es eine Ueberraschung gewesen wäre, als ob wir
nicht Monate lang von diesem Moment gesprochen
hätten. Wie gern hätte ich eine Dosis Opium genommen und mich auf die andere Seite gelegt, um
den Augenblick der Gefahr zu verschlafen! Aber
das ging nicht. Ich kleidete mich zitternd an, schickte
den Diener nach den beiden verlangten Personen
und eilte in Nataliens Zimmer. Ich nahm ihre
Hände, ich erzürnte die alte Dame durch dumme
Fragen, und ich rannte zehn Mal in einem Augenblick in den Vorplatz, um zu horchen, ob man nicht

das Rollen eines Wagens höre. Es war eine warme Sommernacht, Alles war ruhig und friedlich, die Vögel fingen an zu zwitschern, das Morgenroth färbte die Blätter an den Bäumen des Gartens; ich trank die frische Luft ein und kehrte in das Schlafzimmer zurück. Endlich hörte man einen Wagen auf der Brücke — Gott sei Dank, sie kamen noch zu rechter Zeit!

Um elf Uhr Morgens erbebte ich wie von einem elektrischen Schlag. Der Schrei eines neugebornen Kindes hatte mein Ohr getroffen. „Es ist ein Junge!" schrie die alte Dame mit Thränen in den Augen und brachte ihn mir auf einem Kissen. Ich wollte ihn nehmen, aber meine Hände zitterten so sehr, daß sie mir ihn nicht geben wollte.

Der Gedanke an die Gefahr war verschwunden (obgleich meistens die Gefahr erst da beginnt). Eine ausgelassene Freude kam über mich, als wenn tausend Glocken diesen Festtag · in mir einläuteten. Natalie lächelte mich an, lächelte das Kind an, weinte — lachte — und nur das spasmodische Athmen und die tödtliche Blässe erinnerten an die Schmerzen und Kämpfe der letzten Stunden. Ich verließ das Zimmer, ich ging hinüber in das meinige und warf mich auf mein Sopha; ohne einen bestimmten Gedanken, ohne mir von dem Geschehenen Rechenschaft zu geben, blieb ich da liegen in einem Leiden von Glück.

Ich habe noch einmal solche junge Züge, die zugleich jenes Leiden und Glück ausdrückten, gesehen, junge Züge, auf denen der Tod und eine sanfte, süße Freude schwebten. Das war in Rom, in der Gallerie des Prinzen C.... — Ich erkannte sie gleich wieder, als ich die Madonna von Van Eyck betrachtete, ich blieb erbebend vor ihr stehen und konnte mich von der Betrachtung des Bildes nicht losreißen. Jesus ist eben geboren, man zeigt ihn der Jungfrau. Gebrochen, ermüdet, hinsterbend, keinen Tropfen Blut im Gesicht, lächelt sie das Kind an und verweilt auf ihm mit einem matten Blick, der in Liebe zu schmelzen scheint.

Man muß gestehen daß die Jungfrau-Mutter gar nicht in die Cölibat-Religion des Christenthums paßt. Mit ihr dringt das Leben, die Sanftmuth, die Liebe in das ewige Begräbniß der Welt durch die Kirche, in das letzte Gericht und andere Greuel der heiligen Theodicee ein. Deshalb hat auch der Protestantismus nur die Madonna aus seinen gottesdienstlichen Schuppen, aus seinen Predigtfabriken herausgejagt. Sie verwirrt die göttliche Ordnung der Dreieinigkeit, sie kann sich nicht von der irdischen Natur losreißen; sie erwärmt den kalten Raum der

Kirche und bleibt, troß Allem, Frau und Mutter. Sie rächt sich durch eine menschliche Geburt für die übernatürliche Empfängniß und entreißt dem ascetischen Mönch ein Dankgebet an — ihren Leib!

Michael Angelo und Raphael haben Alles dieses mit ihrem Pinsel begriffen.

In dem leßten Gericht der Sixtinischen Kapelle, dieser St. Barthelemi im Himmel, sehen wir den Sohn Gottes zur Feier der göttlichen Rache schreiten. Er hat schon die eine Hand erhoben, um das Signal zu geben, auf welches die Qualen, die Martern, das allgemeine Auto=da=fe beim furchtbaren Schall der himmlischen Posaunen anfangen sollen. Aber eine Frau, seine Mutter preßt sich zitternd, dolorosa, an seine Seite, vielleicht wird er sich erweichen, wenn er sie ansieht und sein hartes Wort vergessen: „Weib, was habe ich mit dir zu schaffen;" vielleicht wird er das Signal nicht geben.

Die Sixtinische Madonna, von der andern Seite, ist die Mignon von Göthe, nach ihrer Niederkunft. Man hat sie durch ein Schicksal ohne Gleichen erschreckt, sie hat den Kopf verloren.

„Was hat man dir, du armes Kind, gethan?"

Ihre Seelenruhe ist gestört. Man hat ihr glauben machen, ihr Sohn sei der Sohn Gottes. Sie sieht ihn an in einem Zustande nervöser, mag=

netischer Exaltation und scheint zu sagen: „Nehmt
ihn hin, er gehört mir nicht." Und zu gleicher Zeit
preßt sie ihn doch in solcher Weise an sich, daß man
wohl sieht, daß sie, wenn es möglich wäre, mit ihm
in die Einsamkeit der Wälder fliehen und, fern von
den Menschen, nicht den Erlöser der Welt, sondern
ihren Sohn nähren und liebkosen würde. Und
Alles dies sieht man, weil sie eben Frau geblieben
ist und nichts gemein hat mit den weiblichen Göttern,
den Isis, Ceres, Diana's.

Deshalb ward es ihr auch so leicht, die kalte
Aphrodite zu besiegen, diese Ninon de l'Enclos des
Olymps, um deren Kinder sich Niemand bekümmert.
Die Jungfrau Maria, mit ihrem Sohn, den sie
liebevoll anblickt, in den Armen, ist von einem ganz
andern Heiligenschein umgeben, als ihre kokette
Rivalin.

Es scheint mir, daß Pius IX. und sein Con-
clave mit vieler Consequenz gehandelt haben, als sie
die unbefleckte Empfängniß der Jungfrau prokla-
mirten. Maria, geboren gleich allen anderen Menschen, wird nothwendig deren Partie nehmen, sie
wird den lebendigen Friedensschluß des Geistes und
des Fleisches darstellen. Aber wenn auch sie auf
übernatürliche Weise erzeugt ist, was hat sie dann
mit uns gemein? Dann wird sie kein Mitleid

für uns haben, Gretchen kann ihr ihren Fehltritt
nicht anvertrauen, das Fleisch ist noch einmal ver-
dammt, die Kirche ist noch einmal nöthig geworden
zur Erlösung.

Es ist nur Schade, daß der Pabst sich um ein
Jahrtausend verspätet hat. Aber das ist das Schicksal von Pius IX.: „Troppo tardo, santissimo Padre!
siete sempre e sempre troppo tardo!"

Auszüge

aus dem dritten und vierten Theil

der

Memoiren von Iskander.

Dritter Theil.

Moskau nach dem zweiten Exil
(1842—1847).

Google

Zweites Kapitel.

Auf das Grab des Freundes.

"Er war von edlem und von reinem Geist,
Und wie ein zärtlich Kosen war sein Herz.
Ach unf're Freundschaft scheint mir wie ein
Märchen!"

———

Im Jahre 1840, als ich nach Moskau zurückgekehrt war, begegnete ich Granoffski zum erſten
Male. Er war damals eben aus dem Ausland zurückgekehrt und schickte sich an, von dem Katheder
herab Geschichte vorzutragen. Er gefiel mir mit
seinem edlen, gedankenvollen Aeußern, seinen traurigen Augen, seinen finſteren Augenbrauen und seinem wehmüthig-gütigen Lächeln; er trug damals
lange Haare und einen blauen Berliner Paletot von
ganz besonderm Schnitt, mit sammtnen Aufschlägen
und tuchenen Streifen zum Zuknöpfen. Die Züge,
die dunklen Haare, das Coſtüm — Alles gab sei-

165

und die Fabeln Kriloff's durchstrich — da wurde
es Einem leicht um's Herz, wenn man Granoffski
noch auf dem Katheder sah. „Es ist noch nicht
Alles verloren, so lange er noch seine Vorträge halten kann," dachte Jeder und athmete freier auf.

Und doch war Granoffski weder ein Kämpfer
wie Belinski, noch ein Dialektiker wie Bakunin.
Seine Stärke bestand weder in der scharfen Polemik, noch in der kühnen Negation, sondern sie bestand in seinem moralischen Einflusse, in dem unbedingten Zutrauen, das er einflößte, in der künst-
lerischen Vollendung seiner Natur, in dem ruhigen
Ebenmaaß seines Geistes, in der Reinheit seines
Charakters und in dem beständigen tiefen Protest
gegen die damalige Ordnung der Dinge in Rußland.
Nicht nur seine Worte wirkten, sondern auch sein
Schweigen, denn wenn sein Gedanke sich nicht aussprechen durfte, so sah man ihn doch so deutlich in
den Zügen seines Gesichts ausgeprägt, daß es geradezu unmöglich war ihn nicht zu verstehen, besonders in einem Lande, wo die engherzige Autokratie
dazu zwang, das unausgesprochene Wort zu errathen. Granoffski verstand es, in den dunklen Jahren der Bedrückung von 1848 bis zum Tode von
Nicolaus, sich nicht nur das Katheder, sondern auch
die Unabhängigkeit seiner Art zu denken zu erhalten

und zwar deshalb, weil in ihm, mit dem ritterlichen Freimuth und der leidenschaftlichen Hingebung an gewonnene Ueberzeugungen, sich auf das Harmonischste weibliche Zartheit, Weichheit der Formen und jenes versöhnende Element, dessen ich bereits erwähnte, vereinten.

Granoffski erinnerte mich unwillkürlich an einige Vorläufer von Revolutionen; nicht an jene ungestümen, trotzigen Menschen, die „in ihrem Zorn ihr ganzes Leben fühlten," wie Luther, sondern an jene klaren, sinnigen, ruhigen, sanften Menschen, welche sich eben so geräuschlos die Krone des Ruhms auf die Stirn drückten, wie die Dornenkrone. Sie waren unerschütterlich ruhig, und gingen fest ihren Weg, ohne lärmend aufzutreten; aber vor ihnen fürchteten sich die Richter und wurden verlegen, ihr versöhnendes Lächeln erweckte Gewissensbisse bei den Henkern.

Ein solcher war Coligny, so waren die Besten der Girondisten; und wahrscheinlich wäre Granoffski, mit der vollen Harmonie seiner Seele, mit seiner romantischen Stimmung, mit seiner Abneigung gegen gewaltsame Mittel, eher Hugenott und Girondist geworden, als Anabaptist und Montagnard.

Der Einfluß Granoffski's auf die Universität und auf die ganze junge Generation war außerordentlich und überlebte ihn; er ließ einen langen

Herzen, Gedachtes und Erlebtes.   11

Lichtstreif hinter sich. Ich sehe mit besonderer Rührung auf die Bücher, die seinem Andenken von solchen, die bei ihm Collegia hörten, gewidmet sind;
auf die warmen, ja begeisterten Zeilen über ihn in
den Vorreden, auf die Journal-Artikel, auf den jugendlich schönen Wunsch, die neue Arbeit an die
des theuren Geschiedenen anzuschließen, sie zu wei-
hen, indem man beim Anfang der Rede sein Grab
berührt, seine moralische Genealogie giebt.

Die Entwicklung Granoffski's war verschieden
von der unsrigen; er war in Orel erzogen, und kam
später auf die Petersburger Universität. Da er
von seinem Vater nur wenig unterstützt wurde, war
er als ganz junger Mensch schon genöthigt gegen
Bezahlung Journalartikel zu schreiben. Er und C.,
mit dem er damals Freundschaft schloß, die bis an
seinen Tod ungetrübt fortbestand, arbeiteten für
Senkoffski, welcher frische Kräfte und unerfahrne
Jünglinge gebrauchte, um ihre gewissenhafte Arbeit
für den nachgemachten Schaumwein der „Bibliotheken
für's Lesen"*) zu verwenden.

Eine besonders stürmische Periode, von Leidenschaften und Verirrungen bewegt, hat Granoffski
nie durchgemacht. Nach vollendetem Cursus sandte

----

*) Eine Zeitschrift.

ihn das pädagogische Institut nach Deutschland.
In Berlin begegnete er Stankewitsch; dies war die
wichtigste Begebenheit seiner ganzen Jugend. Von
Stankewitsch sprach ich in einem früheren Theile
dieser Memoiren, als die Rede von Belinski war.
Es war unmöglich, ohne Einwirkung aus der Be-
rührung mit diesem starken Geist und dieser hoch
poetischen Natur hervorzugehen. Er übte den größten Einfluß auf seine Freunde und Gefährten und
hinterließ bei einem Jeden in irgend einer Weise
einen Abdruck seines Wesens. Für den, der sie
Beide kannte, war es leicht zu begreifen, wie Granoffski und Stankewitsch sich so schnell zu einander
hingezogen fühlten. Sie hatten ja so viele Aehnlichkeit im Wesen, in der Richtung ihres Geistes,
im Alter — und sogar darin, daß sie Beide in der
Brust den Keim des frühzeitigen Todes trugen!
Aber für eine unauflösliche Vereinigung der Menschen reicht die Aehnlichkeit allein nicht aus. Nur
die Liebe überdauert die Zeit, in welcher der Eine
den Anderen ergänzt; der thätigen Liebe ist die
Verschiedenheit ebenso nöthig als die Aehnlichkeit,
ohne sie ist das Gefühl lau, passiv und verwandelt
sich in Gleichgültigkeit. In den Bestrebungen und
der Kraft der beiden Jünglinge war eine große
Verschiedenheit. Stankewitsch, von Jugend an mit

11*

der Hegelschen Dialektik vertraut, war speculativ und
wenn er das ästhetische Element in sein Denken
mit übertrug, so übertrug er ohne Zweifel ebensoviel
Philosophie in seine Aesthetik. Granofffki dagegen,
der sich auf's Stärkste von der damaligen Richtung
der Wissenschaft angezogen fühlte, hatte weder Neigung noch Talent zum abstrakten Denken. Er verstand seinen Beruf vollkommen, als er sich die Beschäftigung mit der Geschichte wählte. Aus ihm
wäre niemals ein abstrakter Denker, noch ein be-
merkenswerther Naturalist geworden. Er hätte sich
nicht an die leidenschaftslose Unparteilichkeit der Logik, noch an die leidenschaftslose Objectivität der
Natur halten können. Er konnte sich ebenso wenig
von Allem abschließen, um einige abstrakte Gedanken zu verfolgen, als er aus sich selbst heraustreten
konnte zur objectiven Beobachtung; im Gegentheil,
die menschlichen Angelegenheiten beschäftigten ihn
leidenschaftlich. Und ist nicht etwa die Geschichte
derselbe Gedanke, dieselbe Natur, nur in einer anderen Erscheinung? Granofffki dachte durch die
Geschichte, er lernte durch die Geschichte und machte
in der Folge Propaganda durch sie. Stankewitsch
impfte ihm, poetisch und mühelos, nicht nur den
Blick für die zeitgemäße Wissenschaft, sondern auch
ihre Methode ein.

Die Pedanten, welche im Schweiße ihres Angesichts und athemlos die Gedanken messen, werden
hieran zweifeln. Nun aber, frage ich, haben nicht
Proudhon und Belinski die Methode Hegel's besser
verstanden, als alle die Scholastiker, die ihn bis
zum Verlust der Haare und bis zu Stirnrunzeln
auswendig lernen? Und doch verstanden Beide kein
Deutsch, doch lasen Beide nie ein Hegel'sches Werk,
nicht eine einzige Dissertation der rechten oder linken seiner Nachfolger, sondern sie sprachen nur
einige Male über seine Methode mit Bakunin.

Das Leben Granoffski's mit Stankewitsch in
Berlin war, nach seiner Beschreibung, eine jener
hell-leuchtenden Perioden in seiner Existenz, wo die
Ueberfülle der Jugend, der Kraft, der ersten leidenschaftlichen Versuche, der harmlosen Ironie und
Ausgelassenheit, zusammen ging mit ernsten, wissen-
schaftlichen Beschäftigungen und wo alles das erwärmt und zusammengefaßt wurde von der heiße-
sten, tiefsten Freundschaft, einer Freundschaft, wie
nur die Jugend sie kennt.

Nach ungefähr zwei Jahren trennten sich die
Beiden; Granoffski ging nach Moskau auf's Katheder, Stankewitsch nach Italien, um an der Auszehrung zu sterben. Der Tod Stankewitsch's warf
Granoffski ganz zu Boden; er erhielt in meiner

Gegenwart lange nachher das Medaillon des Verstorbenen; selten sah ich einen so tiefen, stillen Gram.

Stankewitsch starb kurz nach Granoffski's Verheirathung. Die Harmonie, welche gleichmäßig und
ruhig sein neues Leben umgab, bedeckte sich mit
einem Trauerflor. Lange Zeit konnte er die Folgen
dieses Schlages nicht überwinden, ja ich weiß nicht,
ob er sie überhaupt je überwand.

Seine Frau war noch sehr jung und noch nicht
ganz zum Bewußtsein erwacht; sie hatte noch jenes
Element kindlicher Disharmonie, sogar Apathie in
ihrem Wesen, welches sich nicht selten bei jungen
Mädchen mit blonden Haaren, besonders wenn sie
germanischer Abkunft sind, findet. Solche Naturen
sind oft reich und stark, erwachen aber erst spät
und brauchen lange Zeit, bis sie zu sich kommen.
Der Impuls, der das Geistesleben des jungen Mädchens zum Erwachen aufrief, war so zart, so frei
von Schmerzen und Kämpfen und kam so früh, daß
sie ihn kaum bemerkte. Ihr Blut fuhr fort, langsam und ruhig dem Herzen zuzufließen.

Die Liebe Granoffski's zu ihr war eine stille,
sanfte Freundschaft, mehr zärtlich und tief, als leidenschaftlich. Es herrschte etwas Ruhiges, rührend
Stilles in ihrem Hause und es that der Seele wohl,
zuweilen neben dem in seinen Beschäftigungen ver-

tiesten Granossti diese seine schlanke, sich wie ein
Ast biegende, schweigende, liebende und glückliche
Gefährtin zu sehen. Wenn ich die Beiden anblickte,
dachte ich an jene lichten, keuschen Familien der ersten Protestanten, welche, furchtlos Lobpsalmen sin-
gend, bereit waren, Hand in Hand ruhig vor den
Inquisitor zu treten.

Sie erschienen mir wie Bruder und Schwester,
um so mehr, da sie keine Kinder hatten.

Im Jahr 1842 näherten Granosski und ich
uns einander rasch und blieben bis zur Hälfte des
Jahres 1846 verbunden. Wir sahen uns beinahe
täglich, saßen ganze Nächte durch und schwatzten
über allerlei. In solchen, so genannten verlornen
Stunden verwachsen die Menschen unauflöslich und
unzertrennlich.

Es ist mir noch jetzt schrecklich, daß ich später
auf lange wegen theoretischer Ueberzeugungen mit
Granosski zerfiel. Diese Ueberzeugungen bildeten
aber für uns nicht einen beiläufigen, sondern den
wirklichen Grund des Lebens. Ueber mein Zerwürfniß mit Granosski werde ich noch sprechen; aber
ich beeile mich zu versichern, daß, wenn diese Zeit
bewies, daß wir Einer den Andern mißverstehen
und kränken konnten, es später doppelt klar wurde,
daß wir uns doch nicht hatten trennen und einander

entfremden können, daß dies auch selbst der Tod nicht konnte.

Es ist wahr, daß zwischen Granoffski und N., die sich glühend und tief liebten, später noch, außer den theoretischen Streitigkeiten, ein anderes nicht gutes Element trat, welches aber, wenn auch spät, doch vollkommen beseitigt wurde. Was diese Strei-tigkeiten betrifft, so beendigte sie Granoffski mit folgenden Worten, die er mir aus Moskau am 25. August 1849 nach Genf schrieb und die ich mit An-dacht und Stolz wiederhole: „In der Freundschaft zu Euch (N. und mir) verschwendete ich die besten Kräfte meiner Seele. Aus ihr entsprang ein Theil der Leiden, die mich im Jahre 1846 weinen machten und mich zur Anklage gegen mich selbst brachten, daß ich nicht die Kraft hätte Bande zu zerreißen, welche offenbar nicht mehr verknüpft bleiben konnten. Fast mit Verzweiflung bemerkte ich, daß Ihr mit so starken Fäden an mein Herz geknüpft waret, daß man sie nicht zerreißen konnte, ohne einen Theil des Lebens selbst zu zerreißen. Aber diese Zeit ver-ging nicht ohne Nutzen für mich. Ich ging als Sieger hervor über die schlechteste Seite meines Wesens. Von dem Romantismus, dessen Ihr mich einst beschuldigtet, blieb keine Spur. Dafür ging alles Romantische, das in

meiner Natur liegt, in meine persönlichen Zunei-
gungen über. Erinnerst Du Dich meines Briefs in
Betreff Deines Dr. Krupoff? Er wurde in einer mir
denkwürdigen Nacht geschrieben. Die Seele kam aus
ihrem schwarzen Leichentuch hervor, Dein Bild er-
stand vor mir in aller seiner Klarheit und ich reichte
Dir die Hand in Paris so leicht und liebend, wie
ich es nur je in den besten, heiligsten Augenblicken
unseres Moskauer Lebens gethan. Es war nicht
nur Dein Talent, das so stark auf mich wirkte, aus
dieser Erzählung trat mir Dein ganzes Wesen hervor. Sonst kränktest Du mich, wenn Du sagtest:
„Gieb nichts auf das Persönliche, in dem Allgemeinen allein ist das Wahre;" ich neigte mich immer
so sehr zum Persönlichen! Aber das Allgemeine
und das Persönliche fließt mir in Dir zusammen.
Deshalb liebe ich Dich auch so heiß und so innig."

Mögen diese Zeilen den Lesern im Gedächtniß
bleiben, wenn sie an das Kapitel kommen, wo ich
von unseren Zerwürfnissen spreche. —

Gegen Ende des Jahres 1843 veröffentlichte
ich meine Artikel über „den Dilettantismus in der
Wissenschaft;" ihr Erfolg war für Granofski eine
Quelle der kindlichsten Freude. Er ging mit den
„Vaterländischen Blättern" von Haus zu Haus, las
die Artikel laut vor, commentirte sie und ward

ernſtlich böſe, wenn ſie Jemand nicht gefielen. Später ſah ich dann aber auch den Erfolg von Granoffſki, und auf einem noch weit größern Felde!
Ich meine ſeinen erſten Curſus der „Geſchichte des
Mittelalters in Frankreich und England.“

„Die Vorleſungen Granoffſki’s,“ ſagte Tſchaa-
dajeff zu mir, als er nach der dritten oder vierten
Vorleſung aus dem Auditorium kam — das immer
gedrängt voll war, denn die ganze Moskauer gebildete Welt, ſogar Damen, hörten ihn — „haben eine
hiſtoriſche Bedeutung.“ Ich ſtimmte ganz mit ihm
überein. Granoffſki machte aus ſeinem Auditorium
einen Salon, einen Vereinigungsort für die vor-
nehme Welt. Deshalb putzte er aber die Geſchichte
nicht etwa auf mit Spitzen und Blonden, im Gegentheil, ſeine Worte waren ſtreng, äußerſt ernſt,
voller Kraft, Kühnheit und Poeſie, welche die Zuhörer mächtig erſchütterte und anregte. Seine Kühnheit ging ihm durch nicht aus Nachgiebigkeit, ſondern wegen der Sanftmuth ſeines Ausdrucks, die
ihm ſo natürlich war und weil er ſich nicht in Phra-
ſen à la française erging, die einen ungeheuren
Punkt auf ein ſehr kleines i machen, in der Art
der Moral nach der Fabel. Indem er die Ereig-
niſſe erklärte, ſie künſtleriſch gruppirte, ſprach er
ſo durch ſie, daß der, von ihm unausgeſprochene

Gedanke dem Zuhörer so klar wurde, als sei es sein eigener.

Den Schluß des ersten Cursus bezeichnete eine wirkliche Ovation, etwas bisher Unerhörtes in der Moskauer Universität. Als er nämlich, tief gerührt, dem Publikum für seine Aufmerksamkeit dankte, erhob sich Alles in einem Rausch des Entzückens; die Damen schwenkten ihre Taschentücher, Andere stürzten zum Katheder, drückten ihm die Hände, forderten sein Portrait. Ich selbst sah junge Leute mit erröthenden Wangen und unter Thränen Bravo! bravo! schreien. Aus dem Saale hinauszugehen war nicht möglich; Granoffski, bleich wie der Tod, stand mit gefalteten Händen und neigte leise den Kopf; er wollte noch einige Worte sagen, aber er konnte nicht. Der Lärm, die Bewegung, die Raserei verdoppelten, die Studenten ordneten sich auf der Treppe, im Auditorium überließen sie es den Gästen zu lärmen. Granoffski drängte sich endlich durch in den Conferenzsaal; nach einigen Minuten sah man ihn herauskommen und das Händeklatschen begann von Neuem; er wandte sich, machte bittende Zeichen mit der Hand und ging, ganz erschöpft von Aufregung, in den Saal zurück. Da fiel ich ihm um den Hals und wir weinten und sprachen kein Wort.

Dies waren mit die besten, heiligsten Thränen meines Lebens; ich war froh bis zur Wehmuth, bis zur Trauer.

Solche Thränen (ich erzählte das bereits an einem andern Orte) fielen auf meine Wangen, als der Held Cicernacchio, beleuchtet von den letzten Strahlen der sinkenden Sonne, im Colosseum seinen zwölfjährigen Sohn dem aufgestandnen und bewaffneten römischen Volke übergab; es war dies wenige Monate vorher, ehe Beide, Vater und Sohn, ohne Urtheil und Recht von den soldatischen Henkern der gekrönten Buben erschossen wurden!

Ja das waren theure Thränen; als ich die ersten weinte, glaubte ich an Rußland, und als mir die zweiten vom Auge fielen, glaubte ich an die Revolution!

Wo ist die Revolution? — Wo ist Granoffski? — Dort wo der zwölfjährige Knabe mit den schwarzen Locken und der breitschultrigen Popolano — und andere Nahe, sehr Nahe sind! Nur die Hoffnung auf Rußland blieb — sollte man sich auch von ihr lossagen müssen? Und warum nahm der dumme Zufall Granoffski, diesen edel thätigen, diesen tief leidenden Menschen gerade hinweg, als eine bessere Zeit, freilich noch unklar, aber doch ganz anders als früher, für Rußland anfing?

Warum war es ihm nicht vergönnt aufzuathmen in der neuen Luft, welche bei uns weht und welche nicht mehr so stark nach Gefängniß und Kasernen riecht?

Die Nachricht seines Todes beugte mich tief. Ich ging in Richmond (bei London) auf die Eisenbahn, als mir ein Brief übergeben wurde. Ich las ihn im Gehen und verstand ihn wirklich nicht gleich. Ich setzte mich in den Waggon, aber den Brief las ich nicht zum zweiten Male. Fremde Leute mit dummen, abscheulichen Gesichtern stiegen aus, stiegen ein, die Maschine pfiff — ich sah und hörte das Alles und dachte: „Welcher Unsinn! wie wär' es möglich? Dieser Mensch, in der Blüthe der Jahre, er, dessen Lächeln, dessen Blick mir deutlich vorschweben — er sollte nicht mehr sein?" — Es schien mir ein schwerer Traum und mir war eisig kalt um's Herz. In London begegnete ich einem Freunde, indem ich mich mit ihm begrüßte, erzählte ich ihm, daß ich einen traurigen Brief erhalten habe und, als ob ich nun erst selbst die Nachricht hörte, konnte ich die Thränen nicht mehr zurückhalten.

Unsere Beziehungen zu einander waren in den letzten Jahren spärlich gewesen, aber mir war es nöthig zu wissen, daß da in der Ferne — in un-

ferm Vaterlande — in Rußland — diefer Menfch
lebte!

Ohne ihn wurde es öde in Moskau; noch ein
Band zerriffen! — Wird es mir vergönnt fein, der-
einft einmal allein und ungeftört von Anderen fein
Grab zu befuchen? — es deckt fo viel Kraft, Zukunft, Geift, Liebe, Leben — wie ein anderes, ihm
nicht ganz fremdes Grab, auf dem ich ftand!

— — — — — — — — —

Granoffski war nicht verfolgt. Vor feinem
Blick voll traurigen Vorwurfs hielten die Nicolau-
fifchen Trabanten an. Er ftarb, umgeben von der
Liebe der jungen Generation, umgeben von dem
Mitgefühl des ganzen gebildeten Rußlands, ja von
der Anerkennung felbft feiner Feinde. Aber deffen-
ungeachtet bleibe ich bei meiner Behauptung: er litt
fehr viel! Nicht nur die eifernen Ketten reiben
das Leben auf. Tfchaadajeff fprach in dem einzigen
Briefe, den er mir in das Ausland fchrieb (am 20.
Julius 1851), darüber, daß Granoffski abnehme,
fchwächer werde und mit ftarken Schritten dem Ende
zueile, „nicht in Folge jener Verfolgung, gegen
welche fich die Menfchen empören, fondern derjenigen, welche fie mit rührender Ergebung ertragen,
die aber nur um fo fchneller aufreibt."

Vor mir liegen die drei bis vier Briefe, welche

ich von Granoffsti in den letzten Jahren erhielt. Welcher herzzerreißende, tödtliche Schmerz spricht aus jeder Zeile!

„Unsere Lage," schreibt er im Jahre 1850, „wird von Tage zu Tage unerträglicher. Jede Bewegung im Westen macht sich bei uns durch Bedrückungsmaaßregeln fühlbar. Die Angebereien kommen zu Tausenden. Ueber mich sind im Laufe von drei Monaten zwei Mal Nachfragen gehalten. Aber was ist die persönliche Gefahr im Vergleich mit dem allgemeinen Leiden und Druck? Man hat die Absicht, die Universitäten zu schließen, vorerst hat man sich aber auf die folgenden, schon in Ausführung gebrachten, Maßregeln beschränkt: man hat das Eintrittsgeld für die Studenten erhöht und ihre Zahl durch ein Gesetz vermindert, Kraft dessen an der Universität nicht mehr als 300 Studenten auf ein Mal sein dürfen. In Moskau waren 1,400 Studenten, man mußte also 1,200 entlassen, um 100 neue aufnehmen zu können. Das adelige Institut ist geschlossen, mehreren anderen Anstalten droht dasselbe Schicksal, z. B. dem Lyceum.*) Der Despotismus spricht es unverhohlen aus, daß er sich nicht vertragen kann mit der Aufklärung. Für die

*) Das große Petersburger Lyceum.

Kadettencorps sind neue Programme gemacht. Die Jesuiten würden den kriegerischen Pädagogen beneiden, der sie entworfen hat. Den Priestern ist anbefohlen die Kadetten zu lehren, daß die Größe Christi vorzüglich in seiner Ergebenheit an die herrschende Macht bestand. Er wird dargestellt als ein Vorbild des Gehorsams und der Disciplin. Die Lehrer der Geschichte müssen die alten Republiken des Flittergolds der Tugend entkleiden und die, von den Historikern unverstandene, Größe des römischen Kaiserthums beweisen, welches nur den einen Fehler hatte: es kannte die Erbfolge nicht!" —

„Es ist um von Sinnen zu kommen! Belinski ist zu beneiden, daß er zu rechter Zeit starb. Viele ordentliche Menschen sind in Verzweiflung gerathen und sehen mit dumpfer Ruhe auf das, was geschieht. Wann wird diese Welt sich auflösen?"

„Ich habe beschlossen, nicht meinen Abschied zu nehmen, sondern die Erfüllung des Schicksals auf meinem Platze abzuwarten. Etwas kann man immer machen; mögen sie mich selbst fortschicken."

„Gestern kam die Nachricht von dem Tode Galachoff's und einige Tage lang trug man sich auch mit dem Gerücht Deines Todes. Als es mir zu Ohren kam, war ich nahe daran laut aufzulachen.

Aber warum solltest Du nicht auch sterben? Das würde nicht dümmer sein als alles Uebrige."

Im Herbst 1853 schrieb er: „Das Herz blutet mir bei dem Gedanken, was wir früher waren" (als ich noch in Moskau war) „und was wir jetzt sind. Wein trinken wir noch auf alte Erinnrungen, aber von Herzen froh sind wir nicht mehr; nur bei dem Andenken an Dich verjüngt sich das Herz. Der beste, tröstlichste Traum meiner Seele im gegenwärtigen Augenblick ist, Dich noch einmal zu sehen — und auch der scheint sich nicht zu verwirklichen."

Einen der letzten Briefe beschließt er so: „Man hört ein dumpfes allgemeines Murren, aber wo sind die Kräfte? Wo ist der Widerstand? Es ist eine schwere Zeit, Bruder — und lebendig hinauszukommen scheint unmöglich!"

Schnell nützt in unserem Norden die wilde Despotie die Menschen ab. Mit innerm Grauen sehe ich zurück wie auf ein Leichenfeld — nichts als Todte oder Verwundete!

Granoffski war nicht der einzige, sondern nur einer der vielen jungen Professoren, welche aus Deutschland zur Zeit unseres Exils zurückgekehrt waren. Sie gaben der Moskauer Universität einen mächtigen Stoß nach vorwärts und die Geschichte

wird sie nicht vergessen. Leute von gewissenhafter
Gelehrsamkeit, Schüler von Hegel, Gans, Ritter
u. A., hörten sie diese Letzteren gerade zu der Zeit,
als das Skelett der Dialektik sich mit Fleisch über-
kleidete, als die Wissenschaft aufhörte sich dem Leben feindlich gegenüberzustellen, als Gans nicht
mehr mit einem alten Folianten in der Hand zur
Vorlesung kam, sondern mit der letzten Nummer
der Pariser oder Londoner Journale. Sie versuch-
ten es damals, mit dem dialektischen Instrument
die historischen Fragen der Gegenwart zu entscheiden; das war unmöglich, aber es brachte die Thatsachen zum helleren Bewußtsein.

Unsere Professoren brachten diese Träume, diesen heißen Glauben an die Wissenschaft und die
Menschen, mit herüber; sie hatten sich die ganze
Gluth der Jugend bewahrt und die Katheder wurden ihnen zu Altären, an welchen sie der Wahrheit,
und nur der Wahrheit zu dienen sich gelobten; sie
erschienen im Auditorium nicht als Mitglieder einer
Zunft, sondern als Missionare der Religion ·der
Humanität.

Wo ist diese ganze Plejade von jungen Docen-
ten, mit dem Besten von ihnen, mit Granoffski
hin? Der liebenswürdige, glänzende, geistreiche,
gelehrte Kruloff starb, fünfunddreißig Jahre alt.

Elliniß Petschorin erlag unter dem fürchterlichen Druck des russischen Lebens, er ertrug es nicht länger und ging fort ohne Ziel und Mittel: im fremden Lande matt und krank herumwandernd, wie eine obdachlose Waise, wurde er endlich jesuitischer Priester und verbrannte als solcher protestantische Bibeln in Irland. R... begab sich in ein Civil-Kloster, diente im Ministerium des Innern und schrieb Artikel mit Texten nach Gottes Eingebung. Krilloff — aber genug — den Vorhang herunter! den Vorhang!

12 *

Drittes Kapitel.

Unfere und Richtunfere. — Das damalige Leben. — I. P. Galachoff.— Die Slavophilen. — Kirejeffski und Chamakoff. — Moskauer literarifche Abende. — Neue Generation. — Anfänge der Meinungsverfchiedenheiten.

————

Laßt mich noch einmal zu jenen guten Jahren zurückfehren, in denen wir zum letzten Male jung waren. Ich verweile fo gern bei diefer Zeit der gemeinfamen Arbeit, des vollen, hoch fchlagenden Pulfes, der harmonifchen Stimmungen und der männlichen Kämpfe.

Die häuslichen Stürme hatten fich gelegt. Die quälenden Grübeleien und Analyfen in uns felbft und untereinander, diefes unnöthige Reizen noch nicht verharfchter Wunden durch Worte, diefes unaufhörliche Zurückkommen auf ein und denfelben Gegenftand, der fchon fo viel Leid gebracht hatte, ließen nach und der Verluft des Glaubens an unfere Unfehlbarkeit gab unferm Leben einen ernfteren und

wahreren Charakter. Mein Artikel: „Auf Veranlas-
sung eines Drama's," war das Schlußwort der
überwundenen Krankheit.

Es versteht sich von selbst, daß wir nicht zu
dem frühlingsfrischen, jugendlichen Einsiedlerleben
von Wladimir zurückkehren konnten; Schiller hat
Recht:

„Des Lebens Mai blüht einmal und nicht wieder!"
aber es giebt auch noch andere als Maiblumen,
solche, die sich im Juni, Juli und August öffnen,
und die, an ihrer Stelle, ebenso schön und wohl-
duftend sind als die Veilchen des Frühlings und die
Maiblumen. Selbst das Alter hat seine winterli-
chen Zweige, die ihm sehr gut stehen; nur muß es
die grauen Locken nicht färben.

Unser Leben, wie es sich in Moskau gegen
Ende des Jahres 1842 gestaltet hatte, war schön
und trug den besonderen Charakter der Männlichkeit
und Kraft. Von außen her störte es nur die polizeiliche Aufsicht, die sich bis 1847 fortsetzte; ich
kann nicht sagen, daß sie sehr lästig fiel, aber schon
das Wissen, daß ein solcher damokleischer Stock, von
der Hand eines Polizeidieners geschwungen, existirt,
ist äußerst widerwärtig.

Die neuen Freunde empfingen uns warm, viel
besser als vor zwei Jahren. Sie alle waren sehr

beſchäftigt, alle arbeiteten und mühten ſich ab, der
Eine auf dem Katheder der Univerſität, ein Anderer in Zeitſchriften und Journalen, ein Dritter an
der ruſſiſchen Geſchichte u. ſ. w. Auf dieſe Zeit
gründet ſich der Anfang von Allem, was nachher
von uns gethan worden iſt.

Wir waren keine Kinder mehr: in das Jahr
1842 ſiel mein dreißigſter Geburtstag. Wir wußten
ſehr wohl, wohin uns unſere Thätigkeit führen
würde, aber deſſenungeachtet gingen wir vorwärts.
Nicht übereilt, ſondern mit Ueberlegung verfolgten
wir unſern Weg, in dem ruhigen, gleichmäßigen
Schritt, an den uns Erfahrung und Familienleben
gewöhnt hatten. Das wollte nichts ſagen, daß wir
älter geworden waren; wir waren noch immer jung
und daher wagte ein Jeder, indem er entweder das
Katheder beſtieg oder Artikel drucken ließ oder Zeitungen herausgab, täglich: Gefängniß, Abſchied und
Exil.

Einem ſolchen Kreiſe talentvoller, entwickelter,
vielſeitiger und reiner Menſchen begegnete ich ſpäter
nie wieder; weder auf den höchſten Höhen der poli-
tiſchen, noch auf den erhabenſten Gipfeln der ari-
ſtokratiſchen und literariſchen Welt. Und ich reiſte
doch viel, lebte überall und mit Allen; die Revolution führte mich an die Grenzen der Entwickelung,

über die hinaus es nichts mehr giebt, aber, und zwar nach bestem Gewissen, ich muß jene Behauptung wiederholen.

Die in sich abgeschlossene, vollendete Persönlichkeit des westlichen Menschen überrascht uns anfänglich durch ihre Specialität und später durch ihre Einseitigkeit. Er ist immer mit sich selbst zufrieden, seine suffisance beleidigt uns. Er vergißt nie die persönlichen Gesichtspunkte; seine Lage ist im Allgemeinen gedrückt und seine Sitten sind der Mitte angemessen, in der er lebt.

Ich glaube nicht, daß die Menschen hier immer so bleiben werden; der westliche Mensch ist nicht in einem normalen Zustande, er mausert sich. Die mißlungene Revolution wendete sich nach innen; nicht eine einzige veränderte ihn, aber eine jede ließ Spuren zurück und verwirrte das Verständniß und die historische Welle trug, in natürlicher Ordnung, die schlammige Schicht der Bourgeoisie, welche die versteinernde Klasse der Aristokratie bedeckte und die Saat des Volkes überschwemmte, auf die Hauptbühne. Die Bourgeoisie ist unserm Charakter fremd, Gott sei's gedankt!

Ist es unser Sich-Gehenlassen, unser Mangel an einer moralischen Stabilität, an einer bestimmten Thätigkeit, ist es die Jugend in der Bildung, oder der Aristokratismus der Erziehung — aber wir sind in unserm Leben von der einen Seite künstlerischer, von der andern einfacher als die westlichen Menschen; wir haben nicht ihre Specialität, aber wir sind vielseitiger als sie. Man begegnet bei uns nicht oft entwickelten Persönlichkeiten, aber wenn, so sind sie auch prachtvoll und völlig entwickelt, ohne Spalier und Schranke. Nicht so ist es mit den Menschen im Westen.

Wie oft begegnet es einem hier nicht, sich selbst mit Menschen, die man liebt, in einen solchen Widerspruch hineinzureden, daß nichts Gemeinschaftliches mehr bleibt und daß es unmöglich wird, einander zu überzeugen. An dieser eigensinnigen Hartnäckigkeit und diesem unwillkürlichen Nichtverstehen stößt man mit dem Kopf vor die Grenze der uns bekannten Welt.

Unser kleiner Kreis versammelte sich oft, bald bei diesem, bald bei jenem, am öftersten aber bei mir. Es ging gewöhnlich ein wenig laut her bei den Abendessen, wo der Wein nicht fehlte, aber der Austausch von Gedanken, Neuigkeiten und Studien war auch sehr lebhaft; ein Jeder gab zum Besten, was er gelesen und gelernt hatte, die Discussionen erweiterten den Blick und das von Einzelnen Erarbeitete wurde zum Gemeingut Aller. Es tauchte

keine bedeutende Erscheinung in irgend einem Kreise
des Wissens, in irgend einer Literatur, in irgend
einer Kunst auf, die nicht von Einem von uns erfaßt und sogleich Allen bekannt gemacht worden wäre.

Dumme Pedanten und schwerfällige Scholastiker begriffen diesen Charakter unserer Zusammen-
künfte nicht. Sie sahen nur Braten und Weinfla-
schen, das Andere aber sahen sie nicht. Das Gast-
mahl ist die Würze des Lebens, die Asceten sind
gewöhnlich trockne, egoistische Naturen. Wir waren
keine Mönche, wir lebten nach allen Seiten hin
und wenn wir bei Tische saßen, arbeiteten wir noch
immer mehr als diese enthaltsamen Mönche, die auf
dem Hinterhofe der Wissenschaft graben.

Ich sehe noch jetzt im Geiste die Gesellschaft
jener Tischgespräche vor mir: B., seine ohnehin schon
chinesischen Augen zusammenkneifend und ebensowohl über den pantheistischen Genuß, einen Trut-
hahn mit Trüffeln zu verspeisen, als über den, Beet-
hoven zuzuhören, philosophirend — — — — —

— — — — — — — — — —

— — — —

Die glänzende und beißende Ironie E.'s, die üppig
war wie der aus Ueberfülle der Kraft sprudelnde
Wein, das scharfsichtige, treffende, rasche Spiel des
Geistes. Etwas ganz Anderes war es mit dem Hu-

mor Galachoff's; das war der Humor eines Menschen, der unzufrieden und in Zwietracht mit sich selbst
und der ihn umgebenden Mitte lebt, der danach dur-
stet, zur Ruhe, Harmonie zu kommen, doch ohne
große Hoffnung auf Erfolg.

Aristokratisch erzogen, trat Galachoff noch als
sehr junger Mensch in das Ismailoffsche Regiment
ein, verließ es aber schnell wieder und fing nun in
der That seine Erziehung erst an. Ein scharfer
Geist, aber mehr heftig und leidenschaftlich als dia-
lektisch, wollte er mit störrischer Ungeduld sich die
Wahrheit erzwingen und zwar die praktische, sogleich dem Leben sich anpassende Wahrheit. Er, wie
der größte Theil der Franzosen, beachtete nicht, daß
die Wahrheit sich nur der Methode ergiebt, ja,
und unzertrennbar von ihr bleibt; die Wahrheit,
als Resultat, ist eine banale Phrase, ein Gemeinplatz.
Galachoff suchte nicht mit demüthiger Selbstverleugnung, was sich finden lassen würde, sondern er suchte
geradezu die beruhigende Wahrheit; es ist daher nicht zu verwundern, daß sie sich dieser launen-
haften Verfolgung entzog. Er ärgerte und erzürnte
sich. Leute dieser Art können nicht in der Vernei-
nung, im Kampf leben, ihnen ist die Anatomie widerwärtig, sie suchen das Fertige, das Ganze, das
Schöpferische. Was konnte unser Zeitalter, und noch

dazu die Nicolaufische Periode, einem Galachoff geben?

Er warf sich auf Alles; er klopfte sogar an die katholische Kirche an, aber seine lebendige Seele wurde abgestoßen von dem düstern Halbdunkel, von der dicken Gefängnißluft ihrer trostlosen Grabstätten. Den alten Katholicismus der Jesuiten und den neuen Buchez' verlassend, wandte er sich zur Philosophie, aber ihre kalten, unerfreulichen Vorhallen machten ihm bange und für einige Jahre hielt er beim Fourierismus still.

Die fertige Organisation, die gedrängte Schlachtordnung und die zum Theil kasernenmäßige Einrichtung des Phalansteriums, wenn sie auch keine Theilnahme bei den kritischen Leuten fanden, mußten doch diejenigen ermüdeten Naturen anziehen, welche beinahe mit Thränen baten, daß die Wahrheit sie, wie eine Amme, in ihre Arme nehmen und einwiegen möge. Der Fourierismus hatte ein bestimmtes Ziel, eine Arbeit und zwar eine gemeinschaftliche Arbeit. Die Menschen sind im Allgemeinen sehr oft bereit dem eignen Willen zu entsagen, um nur ihrem Schwanken und ihrer Unentschiedenheit ein Ende zu machen. Dies kann man alle Tage im gewöhnlichen Leben beobachten. „Gehen Sie heute in's Theater oder gehen Sie spazieren?" — „Wie Sie wollen," antwortet der Andere und nun wiffen Beide nicht, was fie machen follen und erwarten mit Ungebuld, daß irgend ein Umftand für fie beftimmen möge, wohin fie gehen follen und wohin nicht. Auf diefen Grund hin entwickelte fich in Amerika die Cabet'fche Wirthfchaft, diefe communiftifche Ketzeranftalt, diefes als Orden geregelte ikarifche Klofter. Die unruhigen franzöfifchen Arbeiter, von zwei Revolutionen und zwei Reaktionen erzogen, verloren endlich die Kraft, der Zweifel befchlich fie, um ihn zu zerftreuen, wandten fie fich zu einer neuen Sache, entfagten der zwecklofen Freiheit und beruhigten fich in Ikarien mit der ftrengen Zucht und dem Gehorfam, die zuletzt nicht weniger eine mönchifche Regel find, als die der Benediktiner.

Galachoff war zu entwickelt und unabhängig, um fich ganz im Fourierismus zu verlieren, aber für einige Jahre ergab er fich ihm. Als ich ihm 1847 in Paris begegnete, hegte er für die Phalange mehr die Zärtlichkeit, welche wir für eine Schule, in der wir lange lebten, oder für ein Haus, in dem wir einige ruhige Jahre zubrachten, hegen, als diejenige, welche die Gläubigen für ihre Kirche fühlen.

In Paris war Galachoff noch origineller und liebenswürdiger, als in Moskau; feine ariftokratifche Natur, fein edles, ritterliches Empfinden wurde auf jedem Schritt beleidigt; er blickte auf die, ihn da umgebende Bourgeoisie mit demselben Widerwillen, mit dem reinliche Menschen auf etwas Schmutziges sehen. Ihn konnten weder die Franzosen noch die Deutschen täuschen und einige der damaligen Heroen behandelte er sehr verächtlich, indem er ihre gänzliche Nichtigkeit, ihre alltäglichen Ansichten, ihre freche Selbstsucht nachwies. In seine Verachtung dieser Leute mischte sich sogar etwas nationaler Hochmuth, der ihm sonst gänzlich fremd war. Indem er z. B. über einen Menschen sprach, der ihm sehr mißfiel, drückte er mit dem einen Wort „Der Deutsche" durch Ausdruck, Lächeln und Zukneifen der Augen, eine ganze Biographie, eine ganze Physiologie, eine ganze Reihe von seichten, groben, ungeschickten Dingen, die speciell dem deutschen Volke angehören, aus.

Wie alle nervösen Leute, war Galachoff von sehr ungleicher Stimmung; zuweilen war er schweigsam und nachdenklich und dann par saccade sprach er wieder viel und mit Feuer, riß die Andern mit fort durch ernste und tief durchdachte Gegenstände, oder machte sie sterben vor Lachen durch die capriciösen Formen und die seltne Treue eines von ihm, mit zwei bis drei Strichen, entworfnen Bildes. Diese Sachen zu wiederholen ist beinahe unmöglich.

Ich werde, so gut ich kann, eine seiner Erzählungen in einem kurzen Abriß wiedergeben. Es war
unter uns in Paris die Rede von dem unangenehmen Gefühl, mit dem wir Russen wieder über unsere vaterländische Grenze zurückkehren. Galachoff
erzählte uns, wie er zum letzten Mal auf seine
Güter zurückreiste. Diese Erzählung war ein Mei-
sterwerk.

— — — „Als ich an die Grenze kam: Regen — Koth — ein Schlagbaum mit weiß und
schwarzen Streifen bemalt; wir warten — er wird
nicht aufgemacht. Ich sehe mich um, von der einen
Seite kommt ein Kosack zu Pferd, mit der Lanze
in der Hand, auf uns zu. — „Erlauben Sie, den
Paß!" — Ich gab ihm denselben und sagte: —
„Ich will mit dir auf die Wache gehen, Bruder,
hier ist es so naß!" — „Das geht nicht." —
„Wie so?" — „Belieben Sie zu warten!" — Ich
wollte zu dem östreichischen Wachthaus zurückkehren,
aber plötzlich stand da, wie aus der Erde gewachsen,
ein anderer Kosack mit einem chinesischen Gesicht. —
„Das geht nicht!" — „Was bedeutet dies?" —
„Belieben Sie zu warten." — Und der Regen goß
und goß in Strömen. — Plötzlich schrie ein Unteroffizier aus der Wache: „Macht auf!" — und
die Ketten rasselten und die gestreifte Guillotine er-

hob sich; wir fuhren darunter hin, die Ketten rasselten wieder und das Holz senkte sich. „Nun," dacht'
ich, „sind wir im Käfig!" In der Wachtstube schrieb
irgend ein Kantonnist etwas in den Paß. — „Sind
Sie es auch wirklich selbst?" — fragte er, worauf
ich ihm sogleich einen Zwanziger gab. Nun kam
der Unteroffizier; er sagte noch nichts, aber ich gab
ihm sogleich einen Zwanziger. — „Es ist Alles in
Ordnung; belieben Sie nach dem Zollamt zu fahren." — Ich saß ein — fuhr — — Da höre ich
etwas uns nachsetzen, ich sehe mich um — ein Kosack mit der Lanze — Trott — Trott — „Was
willst du, Bruder?" — „Ich werde Ew. Gnaden an
das Zollamt bringen." — Auf dem Zollamt sieht
ein!Beamter mit Brillen meine Bücher durch. Ich
gebe ihm einen Thaler und sage: „Bemühen Sie
sich gar nicht, das sind alles so gelehrte, medicini-
sche Bücher!" — „Meinetwegen mag es sein was
es will! — he da! macht den Koffer zu!" — Ich
natürlich gleich wieder einen Zwanziger. —

Endlich waren wir fertig; ich nahm eine Troika,
wir fuhren endlosen Feldern entlang — plötzlich
röthet sich der Himmel mehr und mehr — es ist
offenbar eine Feuersbrunst. — „Sieh doch," ruf'
ich dem Postillon zu, „da ist ein Unglück, was?" —
„Oh das ist nichts," antwortet er, „das ist nur ein

Bauernhaus oder ein Heuschober, der abbrennt; nu! nu! vorwärts! jü!" — Nach Verlauf von zwei Stunden, siehe da! abermals ein flammend-rother Himmel; aber ich frage schon nicht mehr, sondern beruhige mich damit, daß nur irgend ein Haus oder ein Heuschober abbreunt!

— Zur Zeit der großen Fasten komm' ich aus dem Dorfe nach Moskau, der Schnee war beinahe geschmolzen, die Schlitten rutschten schon auf den Steinen dahin, die Laternen spiegelten sich trüb in dunklen Pfützen und das Haudpferd sprißte mir den feuchten Schmuß in großen Stücken in das Gesicht. Wie es aber in Moskau sonderbar ist! kaum daß der Frühling anfängt und man fünf trockne Tage hat, so verwandelt sich der Schmuß in solche Wolken Staubs, daß es unmöglich ist zu sehen, es fliegt Einem in die Augen — man kann nicht umhin zu husten. Und da steht der Polizeimeister bekümmert bei den Droschken, sieht unwillig auf den Staub, und die Polizeidiener streuen geschäftig pulverisirte Back-steine umher, um den Staub zu löschen!" — — —

Iwan Paulowitsch war außerordentlich zerstreut und diese Zerstreutheit war bei ihm ein ebenso lie-benswürdiger Fehler, wie das Stottern bei E.; zu-weilen wurde er böse, gewöhnlich aber lachte er selbst über die originellen Geschichten, die ihm unaufhörlich aus Zerstreuung passirten. Madame X.. lud ihn einmal für den Abend ein; Galachoff ging mit uns, um Linda von Chamouni zu hören; nach der Oper ging er zu Chevalier und saß da anderthalb Stunden, dann ging er nach Hause, zog sich an und ging zu Madame X... — Im Vorzimmer brannte ein Licht und es lagen allerlei Reise-Gegenstände umher. Er trat in den Saal — Niemand da; er ging weiter in das Wohnzimmer, da fand er den Mann von Madame X.. in Reisekleidern, eben aus Pensa zurückgekehrt, der ihn mit Verwunderung ansah. Galachoff fragte, wie die Wege gewesen seien und setzte sich ruhig in einen Lehnstuhl. X. erwiderte: die Wege wären schlecht und er wäre sehr müde. — „Aber wo ist Maria Dmitrewna?" fragte Galachoff. — „Die schläft schon lange." — „Sie schläft? ist es denn schon so spät?" erwiderte Galachoff, dem nach und nach ein Licht aufging. — „Es ist vier Uhr!" versetzte X. — „Vier Uhr?" wiederholte Galachoff; „nun, entschuldigen Sie, ich wollte Sie nur bei Ihrer Ankunft begrüßen."

Ein anderes Mal kam er bei denselben Freunden zu einer kleinen Abendgesellschaft; alle Herren waren im Frack und die Damen im Putz. Man hatte ihn entweder nicht eingeladen, oder er hatte es vergessen, kurz er kam im Paletot. Er setzte

Herzen, Gedachtes und Erlebtes.   13

sich, nahm ein Licht, steckte sich die Cigarre an und
sprach, ohne weder die Gäste noch ihr Costüm zu
beachten. Nach ungefähr zwei Stunden fragte er
mich: „Gehst du noch irgendwohin?" — „Nein!" —
„Aber du bist ja im Frack?" — Ich brach in lau-
tes Lachen aus. „Welche Albernheit!" murmelte
Galachoff, nahm den Hut und ging.

Seine Empfindlichkeit war geradezu kindisch.
Als mein Sohn fünf Jahre alt war, brachte Galachoff zu Weihnachten eine Wachspuppe für ihn, die
ebenso groß war wie der Knabe selbst. Diese Puppe
setzte er selbst an den Tisch und erwartete nun den
Erfolg der Ueberraschung. Als die Bescheerung bereit war und die Thür sich öffnete, kam Sascha,
befangen vor Freude, langsam herbei, warf verliebte
Blicke auf die glänzende Folie und die Lichter am
Baum, aber plötzlich hielt er an, erröthete und
stürzte mit einem wahren Geheul zurück. „Was ist
dir? was ist dir?" frugen wir Alle. Zerfließend
in bitteren Thränen, rief er: „Der fremde Knabe
da — den will ich nicht — den will ich nicht!" Die
Sache war die, daß er in der Puppe Galachoff's einen
Rival, einen alter ego zu sehen glaubte und sich darüber erzürnte. Aber noch mehr erzürnte sich Galachoff;
er drückte die unglückliche Puppe zusammen, lief aus
dem Hause und mochte lange nicht davon reden hören.

Ich begegnete ihm zum letzten Mal im Herbst 1847 in Nizza. Die italiänische Bewegung, die damals anfing zu kochen, riß ihn mit fort. Voller Ironie hegte er doch zugleich romantische Hoffnungen und ließ sich noch ganz von seinem Glauben fortreißen. Unsere langen Gespräche, unsere Streitigkeiten brachten mich auf den Gedanken, etwas Aehnliches unter der Form von Unterhaltungen zu schreiben. Und ich schrieb dann in Nizza — indem ich es natürlich weiter entwickelte — eines unserer Gespräche über die Philosophie der Geschichte nieder. Es ist dasselbe, mit welchem das „Vom anderen Ufer" anfängt. Ich las den Anfang Galachoff selbst vor; er war damals schon sehr krank, nahm sichtlich ab und näherte sich dem Grabe; kurz vor seinem Tode schrieb er mir noch einen langen, höchst originellen Brief. Es ist Schade, daß ich ihn nicht hier habe, ich würde sonst Auszüge daraus geben.

Uns zur Seite standen unsere Gegner, nos amis les ennemis, wie Beranger sagt, oder besser: nos ennemis les amis, die Moskauischen Panslavisten oder einfacher: die Slavophilen.*) Unser Streit mit ihnen entsprang aus der Verschiedenheit unserer Gesichtspunkte, es konnte nicht anders sein.

---

*) Ueber die ich schon in einem früheren Band gesprochen.

13*

Sie verstanden unter Nationalität nicht nur die kindische Verehrung der kindischen Periode unserer Geschichte, sondern auch die Rechtgläubigkeit. Wir sahen in ihren Lehren ein neues Oel, um den „sehr frommen" Selbstherrscher aller Reußen zu salben, eine neue Kette, die dem selbstständigen Gedanken angelegt werden sollte, einen neuen Gehorsam unter einem mönchischen Orden, eine asiatische Kirche, die immer auch ihr Knie beugte vor der weltlichen Macht.

An den Slavophilen liegt die Schuld, daß wir lange Zeit weder das russische Volk noch seine Geschichte verstanden; ihre Uebertreibungen und ihre byzantinischen Portraite des Vergangnen, ihre „Demüthigung der Persönlichkeit" und ihre wilde Verachtung alles Westeuropäischen ohne vorhergegangne Prüfung, riefen von unserer Seite den Widerspruch selbst gegen das, was in ihrer Auffassung richtig war, hervor. Granossski und ich hielten Anfangs noch etwas mit ihnen zusammen und gaben sie nicht gleich auf; wir machten aus unseren verschiednen Ansichten keine persönliche Frage. Belinski, leidenschaftlich intolerant, ging weiter und machte uns deshalb bittere Vorwürfe. „Ich bin ein Jude von Natur," schrieb er mir im Jahre 1844 aus Petersburg, „mit den Philistern an einem Tische essen

kann ich nicht — Granoffski wünscht zu wiſſen, ob
ich ſeinen Artikel im Moskauer*) geleſen habe? —
nein und ich werde ihn auch nicht leſen; ſage ihm,
daß ich es nicht liebe, meine Freunde an unpaſſen-
den Orten zu ſehen, noch daſelbſt eine Zuſammen-
kunft mit ihnen zu haben.“

Dafür bezahlten ihn aber auch die Slavophilen!
Der „Moskauer,“ gereizt durch Belinski, gereizt
durch den Erfolg der „Vaterländiſchen Blätter“ und
den Erfolg der Granoffskiſchen Vorleſungen, ver-
theidigte ſich mit Allem, was ihm in die Hände fiel
und ſchonte Belinski immer weniger; er ſprach geradezu von ihm, wie von einem gefährlichen Menſchen, der nach Zerſtörung dürſte und „ſich am An-
blick der Feuersbrunſt weide.“ Uebrigens war der
„Moskauer“ vorzugsweiſe der Ausdruck der doktri-
nairen ſlavophiliſchen Partei an der Univerſität.
Dieſe Partei konnte man nicht nur die Univerſitäts-,
ſondern auch die Regierungspartei nennen. Das
war eine große Neuigkeit in der ruſſiſchen Literatur.
Die Sclaverei bei uns war bisher entweder ſtumm,
nahm Sporteln und war dabei ungebildet, oder ſie
verachtete die Proſa und griff einige Accorde auf
der Lyra der Loyalität.

---

*) Slavophiliſches Journal.

Bulgarin und Gretſch können nicht als Beiſpiel dienen, ſie betrogen Niemand und Niemand
nahm ihre Livreecocarde für ein unterſcheidendes
Zeichen ihrer Anſichten. Pogodin und Schewireff
hingegen, die Herausgeber des „Moskauer,“ waren
gewiſſenhaft. Ich weiß nicht, warum Schewireff es
war; vielleicht war er nur fortgeriſſen von dem Beiſpiel ſeines Vorgängers, welcher während der Fol-
tern und Qualen zur Zeit Johann des „Schrecklichen“ Pſalmen ſang und nahe daran war, für die
Verlängerung der Tage des grauſamen Alten zu beten; Pogodin war es aus Verachtung gegen die
Ariſtokratie.

Es giebt Zeiten, wo die Menſchen des Gedankens ſich mit der regierenden Macht vereinen;
das geſchieht jedoch nur dann, wenn dieſe Macht
den Fortſchritt anführt, wie unter Peter I.; wenn
ſie deſſen Sache ſchützt, wie im Jahr 1812; wenn
ſie ſeine Wunden heilt und ihn frei aufathmen läßt,
wie unter Heinrich IV. und — vielleicht — unter
Alexander II. Aber die trockenſte, beſchränkteſte
Epoche des ruſſiſchen Despotismus herausſuchen und
während man ſich auf den Vater Czaaren ſtützt, gegen die einzelnen Mißbräuche der Ariſtokratie, die
unter dieſer ſelben Hut des Czaaren entwickelt und
aufrecht erhalten iſt, fechten, das iſt unpaſſend und

schädlich. Was man mit solchen Waffen ausrichtet, hat uns Metternich gezeigt; er reizte den blutdür-stigen Fanatiker Schel in Galizien zur Bestrafung des aufrührerischen Geistes des Adels auf, worauf dieser, mit einer Bande von Räubern unter dem Geschrei: „Es lebe der Kaiser!" von einem Edel-hof zum anderen zog und die Besitzer mit ihren Fa-milien ermordete.

Man gab vor, daß wenn man beschützt sei durch seine Anhänglichkeit an die regierende Macht, man kühner die Wahrheit sagen könne. Warum sagten sie Jene denn nicht?

Pogodin war vielleicht noch ein ganz nützlicher Professor, als er mit neuen Kräften und dem, nicht neuen, Heeren auf der Brandstelle der russischen Geschichte erschien, die von Katschenoffski abgewei-det und zu Staub und Asche verwandelt war. Aber als Schriftsteller war er völlig unbedeutend, obgleich er Alles schrieb, sogar den Götz von Berlichingen in das Russische übersetzte. Sein rauher, wüster Styl, die grobe Art, abgerissene Worte hinzuwerfen, die bissigen Bemerkungen und unreifen Gedanken veranlaßten mich einmal in früheren Jahren, ein kleines Bruchstück: „aus den Reiseerinnerungen We-drin's" zu schreiben, worin ich ihn so nachahmte, daß

J. E., als er es las, sagte: „Pogodin wird gewiß glauben, daß er es selbst geschrieben hat."

Ich zweifle, daß Schewireff sogar als Professor etwas gemacht hat und was seine literarischen Artikel betrifft, so erinnere ich mich nicht eines einzigen originellen Gedankens, nicht einer einzigen selbstständigen Meinung in Allem, was er geschrieben hat. Sein Styl war demjenigen Pogodin's völlig entgegengesetzt, ätherisch, verschwommen, eine Art blaue mangé, das nicht steif geworden ist und in dem man die bitteren Mandeln vergessen hat, obgleich unter seinem Honig auch eine Menge Galle und selbstsüchtiger Gereiztheit verborgen war. Wenn man Pogodin liest, denkt man immer, er schimpft und sieht sich unwillkürlich um, ob auch keine Damen im Zimmer sind. Liest man dagegen Schewireff, so sieht man sicher etwas Anderes im Traum.

Wenn von diesen siamesischen Brüdern des Moskauer Journalismus gesprochen wird, so ist es unmöglich sich nicht Georg Forsters, des berühmten Gefährten Cooks auf den Sandwich-Inseln und Robespierres im Convent der einigen und untheilbaren Republik, zu erinnern. Als Forster in Wilna Professor der Botanik war und der polnischen Sprache zuhörte, die so reich an Consonanten ist, bemerkte er, indem er sich seiner Bekannten in Ota-

haiti erinnerte, die faft nur mit Vocalen reden:
„Wenn man diefe beiden Sprachen zufammenmifchen
könnte, welch eine wohllautende und fließende Mund-
art müßte das geben!“ Nichtsdeftoweniger, und
ungeachtet des fchlechten Styls, fingen die Zwil-
linge des „Moskauer“ nicht nur an, Belinski, fondern auch Granoffski wegen feiner Vorlefungen an-
zugreifen, und zwar fo ungefchickt, daß fie alle or-
dentlichen Leute gegen fich hatten. Sie befchuldigten
Granoffski der Parteilichkeit für die weftliche Entwicklung, für die bekannte Ordnung der Ideen,
für welche Nicolaus, aus Ideen der Ordnung,
in Ketten legte und nach Nertfchinsk transportirte.

Granoffski hob den hingeworfenen Handfchuh
auf und machte fie durch feine kühne, edle Erwie-
derung erröthen. Er fragte feine Ankläger öffentlich
vom Katheder herab, weshalb er den Weften haffen
folle und weshalb, wenn er die Entwicklung deffel-
ben verachtete, er deffen Gefchichte vortragen follte?
„Man klagt mich an,“ fagte er, „daß die Gefchichte
mir nur dazu diene, meine Anficht auszufprechen;
dies ift zum Theil wahr, ich habe Ueberzeugungen
und ich fpreche fie in meinen Vorlefungen aus.
Wenn ich keine hätte, fo würde ich nicht öffentlich
vor Ihnen erfcheinen, blos um Ihnen eine Reihe mehr
oder minder intereffanter Ereigniffe aufzuzählen.“

Die Antworten Granoffski's waren so einfach
und männlich, seine Vorlesungen so anziehend, daß
selbst die slavophilischen Doktrinaire verstummten und
ihre Jugend ebenso Beifall klatschte, wie wir. Nach
dem Cursus wurde sogar ein Versuch zur Versöhnung gemacht. Wir gaben Granoffski nach seiner
letzten Vorlesung ein glänzendes Essen. Die Slavophilen betheiligten sich daran und Einer von ihnen
ward mit Einem der Unseren zu Festordnern gewählt.
Das Fest war prächtig, und gegen das Ende hin,
nach vielen Toasten, die nicht nur einmüthig aus-
gebracht, sondern auch getrunknn wurden, umarmten und küßten wir uns mit den Slavophilen. Alles dies war von beiden Seiten aufrichtig und ohne
Nebengedanken, was jedoch nicht verhinderte, daß
wir uns nach Verlauf einer Woche noch mehr als
vorher entzweiten.

Versöhnung ist überhaupt nur da möglich, wo
sie unnöthig ist, d. h. wenn die persönliche Krän-
kung vergangen ist., oder die Meinungen sich nähern
und die Leute selbst einsehen, daß gar kein Grund
zur Feindschaft vorhanden war. Sonst ist jede Versöhnung eine gegenseitige Schwächung, beide Seiten
verblassen, d. h. sie geben ihre Eigenthümlichkeit auf.
Der Versuch unsers Kutschuk-Kainardschi bewies sehr
schnell die Unmöglichkeit einer wahrhaften Versöh-

nung und der Streit entbrannte mit erneuter Hart-
nädigkeit.

Es gelang uns nicht, Belinsti für diese Vereinigung zu gewinnen; er schidte uns grobe Briefe
aus Petersburg, trennte sich von uns, sprach das
Anathema aus und schrieb noch Schlimmeres in die
„Baterländischen Blätter." Endlich dedte er uns
die „Streiche" der Slavophilen auf, und wiederholte vorwurfsvoll: „Da habt ihr sie!" Wir ließen
Alle den Kopf hängen. Belinsti hatte Recht!

Ein ehemals beliebter Dichter, der sich während der Krankheit zum Scheinheiligen convertirte
und Slavophile aus Verwandtschaft war, wollte uns
noch sterbend züchtigen; zum Unglüd wählte er dazu
wieder die Polizei-Peitsche. In dem Stüd „Nicht-
Unsere" nannte er Tschaadajeff einen Abtrünnigen
vom wahren Glauben; Granoffsti einen Lügen-Leh-
rer, der die Jugend verführe; mich selbst einen Diener, der die glänzende Livree westlicher Bildung
trüge und uns alle Drei Verräther des Vaterlands.
Allerdings nannte er uns nicht bei Namen, diese
wurden aber von den Lesern ergänzt, welche die ge-
reimte Angeberei mit Entzücken von Salon zu Salon trugen. K. A., der zweimal mehr Slavophile
war als der Dichter, antwortete ihm mit edlem Unwillen auch in Versen, in denen er die Denunciation

aufs Schärfste geißelte und als „Nicht-Unsere" verschiedene Slavophilen nannte, die im Namen Jesu
Christi gendarmirten.

Dieser Umstand brachte viel Uebles in unsere
Beziehungen. Der Name des Dichters, die Namen
der Leser, der Kreis, welchen diese mit der Lektüre
entzückten, Alles das reizte die Gemüther gegen
einander.

Unsere Streitigkeiten wären zwei der reinsten
und besten Repräsentanten beider Parteien beinahe
zum Verderben geworden. Nur mit Mühe gelang
es den beiderseitigen Freunden, den Streit zwischen
Granoffski und P. Kirejeffski, der nahe am Duell
war, beizulegen.

Inmitten dieser Wirren wollte Schewireff, welchem der colossale Erfolg der Vorlesungen von Granoffski ganz unbegreiflich war, diesen Letzteren auf
seinem eignen Grund und Boden angreifen: er eröffnete seinen öffentlichen Cursus. Er las über
Dante, über die Nationalität in der Kunst und die
Orthodoxie in der Wissenschaft; er hatte ein großes
Auditorium, aber — es blieb kalt. Zuweilen wurde
er kühn und das ward sehr gewürdigt, aber einen
allgemeinen Effekt brachte er nicht hervor. Eine
Vorlesung ist mir in der Erinnerung geblieben, diejenige, in welcher er über das Buch von Michelet

„Das Volk" und über den G. Sand'schen Roman „La Mare au diable" sprach, weil er darin auf lebendige Weise gleichzeitige Interessen berührte. Es war hingegen schwer Theilnahme zu erwecken, indem man die geistigen Vorzüge der Schriftsteller der östlichen Kirche hervorhob und über die griechisch-russische Religion sprach. Nur Fedor Glinka und seine Gattin Eudoxia, welche über „die Milch der heiligen Jungfrau" geschrieben hat, saßen gewöhnlich zusammen in der ersten Reihe und schlugen bescheiden die Augen nieder, wenn Schewireff besonders stark die Vorzüge der rechtgläubigen Kirche betonte.

Schewireff verdarb seine Vorlesungen, wie er seine Artikel verdarb, mit Ausfällen gegen diejenigen Ideen, Bücher und Leute, welche zu beschützen Einen unvermeidlich in das Gefängniß geführt hätte.

Indessen „welche Springfedern" man auch erfand, um den „Moskauer" emporzubringen, er ging entschieden nicht. Um ein lebendiges polemisches Journal herauszugeben, muß man unaufhörlich das Zeitgemäße herausspüren und die feine Erregsamkeit der Nerven haben, welche sogleich von Allem berührt wird, was die Gesellschaft berührt: die Herausgeber des „Moskauer" ermangelten dieses Magnetismus völlig und wie sie auch den armen Nestor und Dante hin- und herwendeten, sie über-

zeugten sich doch endlich selbst, daß weder die ge-
hauenen Hobelspäne der Pogodinschen Phrasen, noch
der singende Fluß der Schewireffschen Beredsamkeit
in unserm verdorbenen Zeitalter etwas ausrichten
könnten. Sie beschlossen endlich, P. Kirejeffski die
Hauptredaktion zu übertragen. Diese Wahl war
außerordentlich günstig, nicht nur was Geist und
Talent betraf, sondern auch in finanzieller Beziehung.
Ich selbst würde mit Niemand in der Welt so gern
kaufmännische Geschäfte getrieben haben, als mit
Kirejeffski.

Um eine Idee von seiner haushälterischen Philosophie zu geben, werde ich die folgende Anekdote
erzählen. Er hatte ein Gestüt, die Pferde wurden
nach Moskau gebracht, geschätzt und verkauft. Einmal kam ein junger Offizier, um ein Pferd zu kaufen, eins gefiel ihm sehr; der Kutscher, als er dies
sah, erhöhte den Preis; sie handelten, der Offizier
willigte ein und ging zu Kirejeffski. Dieser, ehe
er das Geld nahm, sah im Verzeichniß nach und
bemerkte dem Offizier, daß das Pferd auf 800 Rubel geschätzt sei und nicht auf 1000, daß der Kutscher sich wahrscheinlich geirrt haben müsse. Dies
machte den Cavalleristen stutzig, er fragte um Erlaubniß das Pferd noch einmal sehen zu dürfen und
als er es besehen, entschuldigte er sich, indem er

sagte: „Das muß ein schönes Pferd sein, wenn sich
der Herr ein Gewissen daraus macht, Geld dafür
zu nehmen!" — Wo konnte man einen bessern
Redakteur finden?

Er ging mit Eifer an das Werk, verlor viel
Zeit damit, zog darum nach Moskau, aber konnte
mit all' seinem Talent doch nichts aus dem Blatte
machen. Der „Moskauer" entsprach nicht einer einzigen lebendigen, weiteren Forderung in der Gesellschaft und gewann darum auch keine anderen Ab-
nehmer, als in seinem eignen Kreise. Das Miß-
lingen mußte Kirejeffski tief verletzen.

Er und sein Bruder waren noch zwei starke
Existenzen, die von der Nikolausischen Epoche erdrückt wurden; sie machten Beide den traurigsten
Eindruck auf mich, besonders Iwan Wassilewitsch.
Er war ein Mensch von außerordentlichen Fähigkeiten, hatte einen umfassenden, poetischen, leidenschaftlichen Geist, einen reinen Charakter und war
fest wie Stahl.

Ich erinnere mich, wie er im Jahr 1833 in
Moskau eine monatliche Revüe stiftete unter dem
Titel „der Europäer." Die erschienenen zwei Bücher waren vortrefflich, nach dem zweiten Buche verbot die Regierung die fernere Herausgabe. Er veröffentlichte einen Artikel über Nowikoff in einem

Almanach. Der Almanach wurde aufgegriffen und
der Censor Glinka ward auf die Hauptwache gebracht. Kirejeffski ruinirte sich durch den „Europäer," vegetirte eine Zeit lang in der Leere des
Moskauischen Lebens in schwerem Müssigang und
ging endlich auf's Land, den tiefen Gram und den
Durst nach Thätigkeit in der Brust verbergend.
Zehn Jahre später kam er aus seiner Einsiedelei
nach Moskau zurück als — ein Rechtgläubiger.

Frühzeitig gealtert, trug sein Gesicht die scharfen Spuren der ausgestandenen Leiden und Kämpfe;
es war die traurige Ruhe des stürmenden Meeres
über dem versunknen Schiffe. Seine Stellung in
Moskau war schwierig. Uns schied von ihm seine
Rechtgläubigkeit; zwischen ihm und den Slavophilen
fehlte die Uebereinstimmung, welche er suchte. Ein
Anhänger der Freiheit und der großen Zeit der französischen Revolution, konnte er die Verachtung der
neuen Moskauer Alt-Gläubigen für alles Europäische nicht theilen. Er sagte einmal mit tiefer Trauer
zu Granoffski: „Mit meinem Herzen bin ich euch
vielmehr verbunden, aber ich theile nur wenige eurer
Ueberzeugungen; mit den Unsern stehe ich näher im
Glauben, aber ich weiche in zu vielem Anderm von
ihnen ab." Und er verging in der That einsam in
seiner Familie.

Ihm zunächst stand sein Bruder, sein Freund,
Peter Waſſilewitſch. Traurig, als ob die Thräne
noch nicht getrocknet, als ob erſt geſtern das Unglück eingekehrt ſei, kamen die beiden Brüder zu
Geſellſchaften und Feſten. Iwan Waſſilewitſch kam
mir vor wie eine Wittwe, oder eine Mutter, die
ihren Sohn verloren hat, das Leben hatte ihn betrogen, die Zukunft war leer und nur ein Troſt blieb:

> Warte nur, balde
> Ruheſt auch du!

Mir that es leid, an ſeinen Myſticismus zu
rühren; daſſelbe empfand ich ſchon früher für Wittberg. Beider Myſticismus war künſtleriſch; es war,
als ob die Wahrheit hinter ihm nicht verſchwände,
ſondern nur ſich hinter phantaſtiſchen Contouren,
oder in der Mönchskutte, verbärge. Die ſchonungs-
loſe Nothwendigkeit den Menſchen zu erwecken, tritt
nur dann ein, wenn er ſeinen Unſinn in polemi-
ſcher Form ſelbſt aufdeckt, oder wenn das Zuſam-
menleben mit ihm ſo intim iſt, daß jede Diſſonanz
das Herz zerreißt und Frieden unmöglich macht.

Und was kann man einem Menſchen erwidern,
der (wie einmal Iwan Waſſilewitſch) ſolche Dinge
erzählt: „Ich ſtand einmal in der Capelle und ſah
auf das wunderthätige Bild der Mutter Gottes
und ·dachte an den kindlichen Glauben des Volks,

Herzen, Gedachtes und Erlebtes.   14

das zu ihr betet; einige Frauen, Kranke und Greise lagen auf den Knien oder bekreuzten sich und neigten sich bis zur Erde. Mit heißem Verlangen sah ich hierauf die heiligen Züge an und nach und nach wurde mir das Geheimniß der Wunderkraft klar. Ja das war nicht blos ein Spiel der Einbildungskraft — ganze Jahrhunderte hindurch nahm sie bereits diese Thränenströme leidenschaftlicher Andacht, diese Gebete trauriger, unglücklicher Menschen auf; sie muß erfüllt sein von Kräften, die von ihr ausströmen, die sie zurückstrahlt auf die Gläubigen. Sie machte sich zum lebendigen Organ, zum Vereinigungspunkt des Schöpfers und der Geschöpfe. Indem ich dieses dachte, sah ich noch einmal auf die Alten, auf die Frauen mit den Kindern, die in den Staub hingestreckt waren und dann auf das Heiligenbild, da gewahrte ich selbst, wie die Züge der Göttlichen sich belebten, wie sie mit Erbarmen und Liebe auf die einfachen Menschen vor ihr niedersah — und ich fiel auf meine Knie und betete demüthig zu ihr."

Peter Wassilewitsch war noch unverbesserlicher und ging noch weiter im rechtgläubigen Slavismus. Seine Natur war vielleicht weniger reich, aber ganz und streng logisch. Er bestrebte sich nicht, wie Iwan Wassilewitsch oder wie die slavophilischen Hegelisten,

die Religion mit der Wissenschaft, die westliche Cul=
tur mit der Moskauischen Volksthümlichkeit zu eini=
gen; nein, er lehnte jede Versöhnung ab. Er hielt
sich selbstständig und fest auf seinem Standpunkt
und mischte sich nicht in die Streitigkeiten, vermied
sie aber auch nicht. Zu fürchten war er nicht, er
gab seine Meinung so unzweifelhaft und sie verband
sich so fest in ihm mit dem schmerzlichsten Mitge=
fühl für das gleichzeitige Rußland, daß man sich
leicht mit ihm fühlte. Es war unmöglich ihm bei=
zustimmen, ebensowenig wie seinem Bruder, aber
verstehen konnte man ihn besser, wie jede schonungs=
lose, äußerste Ansicht. In seiner Anschauung (und
dies schätzte ich erst später) war ein Theil jener bit=
teren, niederschlagenden Wahrheit über den socialen
Zustand des Westens, zu welcher wir erst nach der
Revolution von 1848 gelangten. Er verstand sie
mit einer fatalen Hellsicht, er errieth sie durch die
Verachtung, womit er sich für das Böse rächte, wel=
ches Peter I. vom Westen her eingeführt hatte. Da=
her fand sich auch bei Peter Wassilewitsch nicht wie
bei seinem Bruder, im Verein mit der Rechtgläubig=
keit und dem Slavismus, ein Streben nach einer
humanistisch=religiösen Philosophie, in welcher sich
sein Unglaube an das Bestehende aufgelös't hätte;
nein! in seinem finsteren Rationalismus war die

14 *

völlige, entschiedne Entfremdung von allem Westeuropäischen.*)

Nicht so war ihr Gefährte, A. C. Chomakoff. Er und die Kirejeffski's waren Jean qui rit und die deux Jeans qui pleurent des Slavismus. Chomakoff disputirte sein ganzes Leben hindurch, hitzig, heiter und nicht ganz unfruchtbar. Mit scharfem Verstande begabt, mit reichen Mitteln versehen, in deren Anwendung er nicht wählerisch war, mit glücklichem Gedächtniß, schneller Einbildungskraft und einem mehr blendenden als erleuchteten Geiste ausgerüstet, warf er mit Worten und Citaten um sich, machte sich über Alles lustig, nöthigte die Leute ihre eignen Ueberzeugungen zu verspotten, ohne sie ihnen durch diejenigen zu ersetzen, welche er für wahr hielt. Er fing und verwirrte die Leute, die auf halbem Wege stehen blieben, meisterhaft, er erschreckte die Furchtsamen, brachte die Dilettanten zur Verzweiflung und lachte zu alle dem, wie es schien, von ganzem Herzen. Ich sage wie es schien, weil in den halb mongolischen Zügen seines Gesichts sich

---

*) Als diese Zeilen geschrieben wurden, waren beide Kirejeffski's noch am Leben. Jetzt sind sie Beide im Grabe. Die Nachricht vom Tode Iwan Wassilewitsch' tödtete seinen Bruder; er hatte ja nun nichts mehr zu lieben! Welche tragischen Existenzen!

zugleich Geist und eine naive afiatische oder ruffifche Schlauheit, die sich das Ihrige vorbehält, ausdrück= ten. Es kann sein, daß Chomakoff durch das un= aufhörliche grundlose Streiten und die geschäftig müssige Polemik dasselbe Gefühl der Leere in sich zu übertäuben suchte, welches auch in den Kire= jefffki's alles freudige Leben unterdrückte. Ihr ge= meinschaftliches Unglück bestand darin, daß sie ent= weder zu früh oder zu spät geboren wurden; der vierzehnte December fand uns als Kinder, sie da= gegen als Jünglinge. Dies war sehr wichtig. Wir lernten zu der Zeit und wußten gar nicht, was wirklich in der praktischen Welt geschah. Wir wa= ren voll von theoretischen Träumen, wir waren Gra= chen und Rienzi's in Kinderkleidern; dann verbrach= ten wir die akademischen Jahre in einem kleinen Kreise von Freunden und, eben aus der Pforte des Universitätslebens heraustretend, öffnete sich uns die Thür des Gefängnisses. Gefängniß und Exil in jungen Jahren, zu einer Zeit geistiger, düsterer Un= terdrückung, sind außerordentlich wohlthätig, sie er= härten den Stahl; nur schwache Naturen beruhigen sich im Gefängniß, solche nämlich, bei welchen der Kampf aus unmündigen, jugendlichen Aufwallun= gen hervorging, nicht aber solche, die den Kampf mit Talent begannen oder aus innerer Nothwendigkeit.

Offene Verfolgung kräftigt den Widerstand, verdop-
pelte Gefahr lehrt Beharrlichkeit und bildet den
Mann. Alles dies beschäftigt, zerstreut, erbittert,
erzürnt und der Gefangene und Verbannte haben
öfter Augenblicke der Wuth als Augenblicke stiller,
entkräftender Verzweiflung, wie sie Leute befällt,
welche unangefochten im alltäglichen Leben sich verlieren. Als wir aus der Verbannung zurückkehrten,
fanden wir eine andere Thätigkeit vor in der Literatur, der Universität, der Gesellschaft selbst. Dies
war die Zeit Gogol's, Lermontoff's, der Artikel
von Belinski, der Vorlesungen Granoffski's und
anderer junger Professoren.

Nicht so war es mit unseren Vorgängern. Während ihrer ersten Volljährigkeit ertönte die Glocke,
welche Rußland mit der Todesstrafe Pestel's und
mit der Krönung von Nicolaus bekannt machte; sie
waren zu jung, um an der Verschwörung Theil zu
nehmen und nicht mehr Kinder genug, um nach ihr
noch in der Schule zu sein. Sie erlebten gerade
jene zehn Jahre, welche mit dem düstern Briefe
Tschaadajeff's endigten. Natürlich konnten sie in den
zehn Jahren nicht alt werden, aber sie ermüdeten,
zerbrachen und verloren sich auf dem Wege, umgeben von einer erbärmlichen, furchtsamen, leidenschafts-
losen Gesellschaft ohne lebendige Interessen. So

vergingen ihnen die erften zehn Jahre der Jugend. Unwillkürlich gingen fle aus Langerweile, wie One-gin, um die Paralyfie der Gutsbefitzer von Tula zu beneiden, oder reiften nach Perflen, wie Ler-montoff's Petschorin, wurden katholifch wie der wirk-liche Petschorin, warfen fich einer verzweifelten Recht-gläubigkeit oder einem rafenden Slavismus in die Arme oder, wenn ganz hoffnungslos, ergaben fich dem Trunk, ruinirten ihre Bauern und wurden Spieler.

Im erften Augenblick, als Chomakoff diefe Leere gewahrte, ging er nach Europa, zur Zeit der fchläfrigen und langweiligen Regierung Carl's X.; nachdem er in Paris feine vergeffene Tragödie „Er-mak" beendigt und fich auf dem Heimwege mit allen möglichen Czechen und Dalmatiern herumgetrieben hatte, kehrte er zurück. Alles und überall langwei-lig! Zum Glück kam der türkifche Krieg! Cho-makoff trat in ein Regiment ohne Nothwendigkeit, ohne Ziel und ging nach der Türkei. Der Krieg wurde fchnell beendigt und nun beendigte er eine andere vergeffene Tragödie: „Der falfche Demetrius." Wieder Alles langweilig! Chomakoff ftürzte fich in den Slavismus, welcher damals auftauchte. Dies gab ihm mit einem Male eine originelle Pofition, einen reichen Boden für paradoxe Streitigkeiten und

beschäftigten Müssiggang. Hingerissen von der Le-
bendigkeit seines Geistes, wurde er selbst am Ersten
von seinen Sophismen betrogen. Er convertirte sich
nun zum religiösen Fanatismus und zur unbändi-
gen Liebe zu allem Russischen.

⋅ Chomakoff war ein gefährlicher Gegner; als
ein gewiegter alter Priester der Logik kannte er alle
Kniffe und zog Vortheil aus der kleinsten Zerstreuung,
aus jedem Fehltritt.

Seine philosophischen Streitigkeiten gründeten
sich darauf, daß er die Möglichkeit leugnete, mit
der Vernunft allein zur Wahrheit zu kommen; er
gab der Vernunft nur eine formale Fähigkeit, die
Fähigkeit nämlich, Keime oder Saamen, die an-
derswo schon verhältnißmäßig reif empfangen worden
sind (d. h. also durch die Offenbarung, durch den
Glauben!) zu entwickeln. Wenn die Vernunft sich
auf sich selbst stützt, in der Leere umherirrt und
Kategorie auf Kategorie baut, so kann sie ihre eignen Gesetze statuiren, aber niemals bis zum Begriff des Geistes und der Unsterblichkeit u. s. w.
dringen. Hiermit schlug er die Leute auf den Kopf,
welche zwischen Religion und Wissenschaft anhielten.
Sie mochten durch alle Formen der Hegelschen Methode gehen und alle möglichen Constructionen auf-
führen, Chomakoff folgte ihnen Schritt für Schritt,

bis er ihnen zuletzt das Kartenhaus der logischen
Formeln umblies oder ihnen die Stütze unter den
Beinen wegzog und sie zwang, in den „Materialis=
mus,“ den sie beschämt verleugneten, oder in den
„Atheismus,“ welchen sie einfach fürchteten, zu fal=
len. Dann triumphirte Chomakoff. Nachdem ich
diesen Disputationen mehrere Mal beigewohnt hatte,
merkte ich mir seine Manier und bei der ersten Ge=
legenheit, wo wir aneinander kamen, brachte ich ihn
selbst auf den Weg. Er kniff sein schielendes Auge
zusammen, schüttelte seine schwarzen Haare und lä=
chelte im voraus: „Wissen Sie was,“ sagte er plötz=
lich, wie erstaunt über den neuen Gedanken, „es
ist nicht nur unmöglich, mit der Vernunft allein bis
zu dem bewußten Geist, der sich in der Natur ent=
wickelt, zu gehen, sondern es ist auch unmöglich,
damit die Natur anders zu verstehen als wie einen
ununterbrochenen einfachen Gährungsproceß, der kein
Ziel hat und sich entweder fortsetzen oder auch still
stehen kann. Und wenn es so ist, so können Sie
auch nicht beweisen, daß die Geschichte nicht etwa
morgen abbrechen und zugleich mit dem Menschen=
geschlecht und dem Planeten zu Grunde gehen wird.“

„Ich sage Ihnen ja nicht,“ antwortete ich,
„daß ich dies beweisen will; ich weiß sehr gut, daß
das unmöglich ist.“

„Wie?“ erwiderte Chomakoff etwas erstaunt, „Sie können diese furchtbaren Resultate der wildesten Immanenz annehmen, ohne davor zurückzuschrecken?“

„Ich kann es, weil die Folgerungen der Vernunft unabhängig davon sind, ob ich sie haben will oder nicht.“

„Nun, Sie sind wenigstens consequent, obgleich der Mensch sich die Seele lähmen muß, um sich mit diesen traurigen Folgerungen der Wissenschaft zu versöhnen und sich an sie zu gewöhnen.“

„Beweisen Sie mir, daß Ihre Nicht-Wissenschaft wahrer ist und ich nehme sie ebenso aufrichtig und furchtlos an, wohin immer sie mich auch führen möge und wäre es selbst zu der Mutter Gottes.“

„Dazu bedarf es des Glaubens.“

„Aber Sie wissen: was nichts ist, das kann man nicht fassen.“*) Und Chomakoff endigte gewöhnlich mit Lachen und wir sprachen dann von etwas Anderem.

Unsere Streitigkeiten mit den Slavophilen, die sich bei jeder Begegnung wiederholten (wir trafen uns zwei bis drei Mal die Woche) beschäftigten die

---

*) Russisches Sprichwort.

ganze Gesellschaft; auch die Damen nahmen lebhaft für die Einen oder die Anderen Partei.

Moskau trat überhaupt damals in die Epoche der erwachenden geistigen Interessen, wo die literarischen Fragen Lebensfragen wurden, da das für die politischen Fragen unmöglich war. Die Erscheinung eines bemerkenswerthen Buches, wie z. B. „die todten Seelen," wurde ein Ereigniß; Kritiker und Antikritiker lasen und commentirten dasselbe mit der Aufmerksamkeit, mit welcher man in England und Frankreich Parlamentsverhandlungen zu folgen pflegt. Die Abschließung aller anderen Sphären der menschlichen Thätigkeit warf den gebildeten Theil der Gesellschaft in die Bücherwelt und in ihr allein sprach sich, leise und mit halben Worten, ein Protest gegen den Nikolausischen Despotismus aus, derselbe Protest, welchen wir den Tag nach seinem Tode offen und laut sich aussprechen hörten.

In der Person Granoffski's erkannte die Moskauer Gesellschaft den zur Freiheit strebenden Gedanken des Westens, den Gedanken geistiger Selbstständigkeit und des Kampfes um dieselbe.

In der Moskauer Gesellschaft war natürlich viel Unentwickeltes, Unreifes, wie dies überhaupt im russischen Leben ist, und ein Provinzialismus, der

ganz besonders Moskau angehört. Dennoch erinnere
ich mich mit Freuden jener Gesellschaft.

Ich muß daher noch etwas dabei verweilen.

Freilich kannte ich nur einen sehr kleinen Kreis
von Menschen. Im Anfange verlor ich mich in einer
Gesellschaft von alten Leuten, zum Theil Gardeoffizieren aus der Zeit Katharina's, Gefährten meines Vaters und Anderer, welche zu den Greisen
des dirigirenden Senates gehörten, und Gefährten
des Senators, des Bruders meines Vaters, waren.
Darauf kannte ich nur das j u n g e Moskau, das lite-
rarisch-weltliche und nur über dieses werde ich sprechen. Was zwischen den alten Herren der Feder
und des Degens, die auf eine ihrem Range gemäße
Beerdigung warteten, und ihren Söhnen oder En-
keln, die nach keinem Range suchten und sich mit
„Büchern und Gedanken" beschäftigten, vegetirte,
kannte ich nicht und wollte es nicht kennen. Diese
Zwitter-Mitte, das wirkliche Nikolaifische Rußland,
war farblos und gemein, ohne die Katharinische
Originalität, ohne die Abenteuer und Thaten der
Leute von 1812, ohne unsere Bestrebungen und
Interessen. Das war eine jämmerliche, knechtische
Generation, in welcher ein Paar einzelne Märtyrer
zertreten wurden und seufzend untergingen. Wenn
ich von den Moskauer Gesellschafts- und Speisesä-

len rede, so meine ich die, in denen Puschkin herrschte, in denen, bis auf unsere Zeit, die Decembristen den Ton angaben, wo Gribojedoff lachte, wo M. Orloff ein freundliches Willkommen fand, weil er in Un- gnade war; wo endlich A. C. Chomakoff bis vier Uhr Morgens polemisirte, wenn er um neun Uhr Abends angefangen hatte; wo A..., mit der alt- russischen Mütze in der Hand, für Moskau wüthete, welches Niemand angegriffen hatte und niemals ein Glas Champagner nahm, ohne ein geheimes Gebet und einen Toast zu sagen, den Alle verstanden; wo R... die Persönlichkeit Gottes ad majorem gloriam Hegelii bewies; wo Granoffski erschien mit seiner ruhigen, festen Rede und sich plötzlich mitten im Gespräch hinsetzte, um etwas für sich zu lesen; wo Tschaadajeff, sorgfältig gekleidet, mit einem Gesicht zart wie aus Wachs, die erschrocknen Aristokraten und die rechtgläubigen Slavophilen mit seinen bei- ßenden Bemerkungen erzürnte, die immer in eine originelle Eisform gegossen waren. —

Was macht man jetzt in jenen Gesellschaftssä- len? Wo vereinigt sich, wo trinkt sich der literari- sche Thee? Wer sind die Koriphäen? wer polemi- sirt? auf welche Seite schlagen sich die Damen?

Die Moskauer officielle Gesellschaft war son- derbar zusammengesetzt und vielleicht deshalb nicht schlecht. Sie bestand aus den Leuten vom Lande und den talentvollen Leuten und trug auch in sich diesen doppelten Stempel. Das Leben in Moskau war mehr ländlich als städtisch, nur daß die herrschaftlichen Häuser hier näher bei einander standen. In ihnen endigten die Larins und Famusoffs*) ihr Leben, aber auch Wladimir Lanski lebte dort und unser Sonderling Tschatschki, ja sogar der Onegin's waren viele. Das Sichgehenlassen des Dorflebens ist dem russischen Charakter eigen und man muß gestehen, daß darin eine gewisse Breite liegt, welche man nicht im bürgerlichen Leben des Westens findet. Die junge Gesellschaft, welche den unedlen Clientismus verließ, ist freier bei uns als die europäische, weil sie noch nicht ermüdet, nicht verknöchert ist. Durch die Erziehung wird uns die Tradition der westlichen Lebensart und Urbanität, die aus dem Westen schon verschwanden, eingeimpft. Diese, in Verbindung mit dem slavischen „Indentaghineinleben" und „Sichgehenlassen" bildet den specifisch russischen Charakter der moskauischen Gesellschaft, und zwar zum größten Kummer dieser Gesellschaft, weil sie so sehr gern Parisisch sein möchte.

Wir kennen, ich kann nicht umhin es zu wie-

*) Personen aus russischen Romanen.

derholen, immer nur das Europa von früher her; es schwebt uns immer noch vor, wie es zu der Zeit war, als Voltaire in den Pariser Salons herrschte und man auf die Polemik Diderot's einlud, wie auf ein Gericht Störe; als die Ankunft von David Hume Epoche machte und alle Gräfinnen und Vicomtessen ihm nachliefen und so mit ihm kokettirten, daß ein anderer Günstling, Grimm, böse wurde und es unpassend fand. Wir haben noch die Zeit der Holbachschen Abende vor Augen und die erste Vorstellung des Figaro, als die ganze Pariser Aristokratie tagelang Queue machte und die Modedamen statt des diner trockne Brioschen aßen, um nur einen Platz zu erhalten, das revolutionaire Stück mit anzusehen, das man Monate hindurch in Versailles aufführte. (Der Graf von Provence, nachheriger König Ludwig XVIII., in der Rolle des Figaro und Marie Antoinette in der der Susanne!!!)

Tempi passati — — nicht nur die Salons des achtzehnten Jahrhunderts — diese bewundrungswürdigen Salons, wo unter Puder und Spitzen der Löwe, aus dem die riesenhafte Revolution herauswuchs, von aristokratischen Händen gehätschelt und mit aristokratischer Milch genährt wurde — existirten nicht mehr, sondern auch Jene nicht, wie sie z. B. bei der Staël und der Recamier waren, wo

sich Alles vereinigte, was es Bedeutendes in der
Aristokratie, der Literatur und Politik gab. Man
fürchtet jetzt die Literatur, ja und sie existirt auch
nicht, die Parteien sind bis zu dem Grade gespal-
ten, daß Leute von verschiedenen Ansichten sich nicht
friedlich unter einem Dach begegnen können.

Einer der letzten Versuche eines „Salons" im
früheren Sinne des Worts mißlang und ging unter,
zusammen mit seiner Wirthin. Delphine Gay verschwendete all' ihr Talent, ihren glänzenden Geist
daran, um ein anständiges Vernehmen zwischen den
Gästen, die sich gegenseitig verdächtigten und be-
neideten, herzustellen. Konnte ein solcher zusam-
mengeknüpfter, immer schwankender Zustand der Versöhnung, nach welchem der Wirth, wenn er allein
war, sich erschöpft auf das Sofa warf und dem
Himmel dankte, daß der Abend ohne Unannehm-
lichkeiten vergangen sei, Befriedigung geben?

In Wahrheit hat der Westen, besonders Frankreich, jetzt keine literarischen Plaudereien mehr, es
ist nicht mehr die Zeit des guten Tons und der fei-
nen Manieren. Den furchtbaren Abgrund mit dem
kaiserlichen Mantel bedeckend, schwelgen die Bürger-
Generale, die Bürger-Minister, die Bürger-Ban-
quiers, gewinnen Millionen, verlieren Millionen und

erwarten den steinernen Gast der Liquidation. — —
„Leichter Unterhaltung" bedürfen sie nicht, sie brauchen plumpe Orgien und unästhetischen Reichthum,
in welchem das Gold, wie unter dem ersten Kaiser-
reich, die Kunst ersetzt, so wie die Loretten die Damen ersetzen und der Börsenspieler den Schriftsteller.

Dieses Zerwürfniß der Gesellschaft findet aber
nicht allein in Paris Statt. George Sand war
der lebendige Mittelpunkt der ganzen Nachbarschaft
von Noan. Nähere und fernere Bekannte kamen
ohne Umstände zu ihr, wenn sie einen Abend besonders angenehm zubringen wollten. Dort fand sich
Alles: Musik, Lektüre, dramatische Improvisationen
und vor Allem — George Sand. Im Jahre 1850
fing der Ton an sich zu ändern; die gutmüthigen
Berry-Leute kamen schon nicht mehr zusammen, um
aufzuathmen und zu lachen, sondern mit Bosheit in
den Blicken, mit Galle im Herzen und Einer den
Andern hinter dem Rücken und in das Gesicht her-
unterreißend; es zeigten sich neue Livreen, man fürchtete Angebereien, die Ungezwungenheit, welche Alles
leicht und angenehm gemacht hatte, der Scherz und
die Fröhlichkeit verschwanden. Die fortwährende
Arbeit des Beschwichtigens, Ausgleichens, Versöh-
nens, langweilte und quälte George Sand so sehr,
daß sie beschloß, ihre Abende von Noan aufzuheben

Herzen, Gedachtes und Erlebtes.   15

und ihren Kreis auf zwei, drei alte Freunde zu beschränken. — — —

Kehren wir zu unseren Zwistigkeiten zurück; sie
gingen nach und nach von den äußeren Streitigkeiten mit den Slavophilen in Kämpfe unter uns
selbst über.

In einem der damals geschriebenen Notizen-
Bücher war mit sichtbarem Unwillen der folgende
Satz bemerkt: „Die persönlichen Beziehungen schaden der Geradheit der Meinungen sehr. Indem
wir die schönen Eigenschaften der Persönlichkeit ver-
ehren, opfern wir dafür die Schärfe der Ansichten.
Es gehört viel Kraft dazu, um zu weinen und
dennoch fähig zu sein, das Urtheil von Camille
Desmoulins zu unterschreiben."

In diesem Neid über die Kraft Robespierre's
zitterten schon die Anfänge der bösen Streitigkeiten
von 1846.

Chomakoff war, als Liebhaber sowohl wie als
Kenner, zufrieden mit meinen Angriffen, aber ich
bemerkte, daß viele der Unseren über dieselben die
Stirn runzelten, indem sie wahrscheinlich meine „Logik" viel zu „grimmig" fanden, wie Chomakoff auch.
Von demselben Anfangspunkt ausgehend, kamen wir
zu verschiedenen Ausgängen und zwar nicht deshalb,

weil sie meine Ausgangspunkte nicht verstanden hätten, sondern weil sie ihnen nicht gefielen.

Der Anfang dieser Streitigkeiten war halb Scherz. Wir lachten z. B. über den kleinrussischen Eigensinn von R., der sich bemühte, eine logische Construktion des persönlichen Geistes aufzuführen. Dabei fällt mir einer der letzten Späße des lieben, guten Krukoff ein. Er war schon sehr krank, R.. und ich saßen an seinem Bett. Der Tag war trübe, plötzlich zuckte ein Blitz durch die Luft und gleich darauf folgte ein starker Donnerschlag. R.. ging an das Fenster und zog die Vorhänge zu. „Was wird das helfen?" fragte ich ihn. „Nun," antwortete Krukoff statt seiner, „R.. glaubt ja an die Persönlichkeit des absoluten Geistes und da verhängt er das Fenster, damit dieser ihn nicht sehen und treffen kann, wenn er etwa Lust hätte ihm einen Blitzstrahl zuzuschicken."

Man kann sich jedoch vorstellen, daß es bei so wesentlicher Verschiedenheit der Gesichtspunkte nicht lange beim bloßen Scherz blieb.

Die Fragen, an welche wir rührten, waren keine zufälligen; ihnen auszuweichen war so unmöglich, als es unmöglich ist, dem von Gott bestimmten Bräutigam vorüberzureiten.*) Es waren die

*) Russisches Sprichwort.

15*

Granitſteine des Anſtoßes auf dem Wege der Wiſ-
ſenſchaft, die zu allen Zeiten dieſelben geweſen ſind
und die Leute entweder erſchrecken oder anlocken.
Und ſo wie der Liberalismus, wenn er conſequent
durchgeführt wird, den Menſchen nothwendig zuletzt
zu den ſocialen Fragen führt, ſo trägt die Wiſſen-
ſchaft ihn, wenn er ſich ihr nur ohne Vorbehalt
anvertraut, unabweislich auf ihren Wellen zu den
grauen Felſen, an welchen, ſeit den ſieben Weiſen
Griechenlands bis zu Kant und Hegel, Alle anſtie-
ßen, welche die Frechheit hatten zu denken. Anſtatt
einfache Erklärungen zu ſuchen, verſuchten beinahe
Alle ſie zu umgehen und bedeckten ſie mit neuen
Schichten von Symbolen und Allegorien, daher ſte-
hen ſie auch jetzt noch ſo drohend da, daß der
Schiffer ſich fürchtet zu ihnen heranzufahren, um
ſich zu überzeugen, daß es keine Felſen ſind, ſondern
nur ein phantaſtiſch beleuchteter Nebel.

Dieſer Schritt war nicht leicht, aber ich glaubte
an die Kraft und den Willen unſerer Freunde; es
war ihnen ja nichts Neues, das Fahrwaſſer zu ſuchen, wie Belinski und mir. Lange blieben wir
mit ihnen in dem Eichhörnchen-Rad der dialektiſchen
Wiederholungen und ſprangen endlich auf eigne Fauſt
heraus. Sie hatten unſer Beiſpiel vor Augen und
Feuerbach in den Händen. Ich zweifelte lange,

enblich aber überzeugte ich mich, daß, wenn unsere
Freunde auch nicht die Art der Beweisführung R.'s
nachmachten, sie doch in Wirklichkeit mit ihm mehr
übereinstimmten als mit mir und daß, bei aller Unabhängigkeit ihrer Gedanken, es noch Wahrheiten
gäbe, vor welchen sie erschraken.

Diese Entdeckung erfüllte mich mit tiefer Trauer;
die Schwelle, an welcher sie stehen blieben, konnte
nicht mehr verdeckt werden. Die Streitigkeiten, die
aus der inneren Nothwendigkeit hervorgingen, mußten wieder zum selben Niveau kommen, zu diesem
Zweck mußte man sich aber so zu sagen anrufen,
um zu wissen, wo ein Jeder stünde.

Bevor wir selbst unsere theoretischen Streitigkeiten zu Ende führten, wurden sie von der jungen
Generation bemerkt, die meinen Anschauungen un-
gleich näher stand. Nicht nur die jungen Leute auf
der Universität und im Lyceum lasen meine Artikel
über den „Dilettantismus in der Wissenschaft" und
die Briefe „über Naturwissenschaft," sondern es wurden dieselben auch in den geistlichen Seminarien bekannt. Dies Letztere erfuhr ich vom Grafen E. Stroganoff, bei welchem der Metropolit Philaret sich darüber beklagt und gedroht hatte, Defensiv-Maßregeln
gegen dies schädliche Gift nehmen zu wollen.

Zu derselben Zeit erfuhr ich auch noch auf an-

dere Weise etwas über den Erfolg meiner philosophischen Artikel unter den Seminaristen. Diese Erfahrung ist mir so theuer, daß ich nicht umhin kann
sie zu erzählen.

Der Sohn eines uns bekannten Geistlichen aus
der Nähe von Moskau, ein junger Mensch von siebzehn Jahren, kam zuweilen zu mir, um sich die
„Vaterländischen Blätter" zu holen. Er war sehr
blöde, sprach beinahe nie, erröthete, verwirrte sich
und eilte wieder wegzukommen. Sein verständiges
und offnes Gesicht sprach stark für ihn, ich überwand endlich sein kindisches Mißtrauen in sich selbst
und sprach mit ihm über die „Vaterländischen Blätter." Er las besonders die philosophischen Artikel
mit großer Aufmerksamkeit und Sorgfalt. Er theilte
mir mit, wie eifrig die Zuhörer des höheren Cursus
im Seminar meine „historische Auseinandersetzung
des Systems" läsen und wie sehr sie das in Erstaunen setze nach der Philosophie von Burmeister und
Wolf. Von nun an kam der junge Mann öfter zu mir
und ich hatte Muße, mich von der Größe seiner An-
lagen und von seiner Arbeitsfähigkeit zu überzeugen.

„Was gedenken Sie nach dem Cursus zu thun?"
fragte ich ihn einmal.

„Ich werde als Priester ordinirt werden," antwortete er erröthend.

„Haben Sie ernstlich an das Schicksal gedacht, welches Sie erwartet, wenn Sie in den geistlichen Stand eintreten?"

„Ich habe keine Wahl, mein Vater giebt es durchaus nicht zu, daß ich in den Laienstand trete. Zur Beschäftigung wird mir Muße genug bleiben."

„Werden Sie mir nicht böse," erwiderte ich, „aber ich kann nicht umhin Ihnen offen meine Meinung zu sagen. Ihr Gespräch, Ihre Art zu denken, welche Sie gar nicht verbergen, die Theilnahme, die Sie meinen Arbeiten schenken und mehr, als Alles, der aufrichtige Antheil meinerseits an Ihrem Schicksal und meine Jahre geben mir ein Recht dazu. Bedenken Sie sich noch hundert Mal, ehe sie das Priesterkleid anlegen. Es möchte Ihnen sehr schwer werden, es wieder abzulegen und wahrscheinlich würde es Ihnen nicht leicht sein darin zu athmen. Ich stelle Ihnen eine sehr einfache Frage: sagen Sie mir, haben Sie auch nur den geringsten Glauben an ein einziges Dogma der Theologie, welche man Sie gelehrt hat?"

Der junge Mann schlug erst die Augen nieder und schwieg, dann sagte er: „Vor Ihnen kann ich nicht lügen — nein, ich glaube nicht!"

„Das wußte ich. Nun denken Sie sich Ihr künftiges Schicksal. Sie würden täglich, so lange

Sie leben, öffentlich, laut lügen und die Wahrheit verrathen müssen; das aber ist Sünde gegen den heiligen Geist, wissentlicher Betrug. Vergebens werden Sie sich mit diesem Doppelwesen abfinden wollen. Ihre ganze gesellschaftliche Stellung wird eine falsche sein. Wie wollten Sie dem Blick eines inbrünstig Betenden begegnen, wie den Sterbenden trösten mit dem Paradies und der Unsterblichkeit, wie die Sünden vergeben? Und nun gar verpflichtet zu sein den Ketzer zu überzeugen, ihn zu richten!"

„Es ist furchtbar, schrecklich!" sagte der junge Mensch und ging verwirrt und zerstört fort.

Am anderen Tage kam er des Abends wieder. „Ich komme zu Ihnen," sagte er, „um Ihnen zu erzählen, wie viel ich über Ihre Worte nachgedacht habe. Sie haben vollkommen recht; der Priesterstand ist unmöglich für mich und Sie können überzeugt sein, ich werde eher unter die Soldaten gehen als mich ordiniren lassen."

Ich nahm auf's Wärmste seine Hand und versprach ihm, wenn es an der Zeit sein würde, seinen Vater nach Kräften zu überreden.

Auf diese Weise rettete ich auch eine Seele oder trug wenigstens zu ihrer Rettung bei.

Die philosophische Richtung der Studenten konnte ich ganz in der Nähe sehen. Während des

ganzen Cursus von 1845 besuchte ich die Vorlesungen der vergleichenden Anatomie. In dem Auditorium und dem anatomischen Theater lernte ich die
junge Generation kennen. Die Richtung, welche
sie eingeschlagen hatte, war völlig realistisch, d. h.
entschieden wissenschaftlich. Es ist bemerkenswerth,
daß beinahe alle Czarskojeseloschen Lyceisten dieser
Richtung folgten. Das Lyceum von Czarskojeselo,
das von dem argwöhnischen und tödtenden Despotismus von Nicolaus aus seinen schönen Gärten
heraus nach Petersburg geführt wurde, war die
große Pflanzschule junger Talente, gleichsam ein
Nachlaß Puschkin's, der hier gebildet worden war.
Der Segen des Dichters rettete es von den groben
Schlägen der rohen Macht. *)

*) Die Geschichte, wie einer dieser Lyceisten auf die
Moskauer Universität kam, ist so charakteristisch für die Ni-
colausische Periode, daß ich nicht umhin kann sie zu erzählen.
Im Lyceum wurde jedes Jahr das Stiftungsfest gefeiert, wie
aus den herrlichen Versen Puschkin's bekannt ist. Gewöhnlich
war dieser Tag ein Tag des Scheidens für die älteren Schüler, welche das Lyceum verließen und des Wiedersehens mit
den früheren Gefährten, welche zu der Feier eingeladen wurden. An einem dieser Festtage nun warf einer der Schüler,
welcher den Cursus noch nicht beendigt hatte, in der Aufregung eine Flasche an die Wand. Zum Unglück flog dieselbe
auf eine marmorne Tafel, auf der mit goldenen Buchstaben

Mit Freuden erkannte ich in den Lyceisten, die auf der Moskauer Universität waren, eine neue, starke Generation.

Und die Universitäts-Jünglinge, mit allem Feuer der Jugend der vor ihnen neu sich öffnenden Welt des Realismus hingegeben, sahen, wie ich schon sagte, sehr wohl, was uns von Granoffski trennte. Obgleich sie ihn leidenschaftlich liebten, fingen sie doch an, sich gegen seinen Romantismus aufzulehnen. Sie drängten mich, ihn auf unsere Seite herüberzu-

geschrieben war: „Der Kaiser geruhte diese Anstalt mit seinem Besuch zu beglücken, den" u. s. w. — und schlug ein Stück heraus. Einer der Aufseher stürzte auf den Studenten mit fürchterlichen Flüchen los und wollte ihn hinausführen. Der junge Mensch, vor seinen Gefährten beleidigt und erhitzt vom Wein, entwand dem Aufseher das Rohr und schlug ihn damit. Dieser gab ihn an; der Schüler wurde arretirt und in das Karzer geschickt nicht nur wegen der schrecklichen Schuld, den Aufseher geschlagen zu haben, sondern auch wegen des sacrilegen Mangels an Ehrfurcht gegen die Tafel, auf welcher der heilige Name des Kaisers eingeschrieben war.

Vielleicht hätte man ihn unter die Soldaten gesteckt, wenn ihn nicht zugleich ein anderes Unglück betroffen hätte. Sein ältester Bruder starb zu derselben Zeit. Die Mutter, von Kummer gebeugt, schrieb ihm, daß er jetzt ihre einzige Stütze und Hoffnung sei, und rieth ihm den Cursus schneller zu beenden und zu ihr zu kommen. Der Gouverneur des Lyceums, wahrscheinlich General Broneffski, las den Brief,

ziehen, indem sie Belinski und mich als die Reprä=
sentanten ihrer philosophischen Anschauungen aner=
kannten.

Alles dies führte immer und immer wieder zu
Streitigkeiten über den krankhaften Gegenstand.

So stand es im Jahre 1846, wo Granoffski
einen zweiten öffentlichen Cursus begann. Ganz
Moskau drängte sich wieder um sein Katheder, wie=
der erschütterte seine plastische, gedankenvolle Rede
die Herzen, aber die Fülle, das Hingerissensein wie
im ersten Cursus war es nicht mehr, er schien er=

---

wurde gerührt und beschloß den jungen Mann zu retten, in=
dem er die Sache nicht bis zu Nicolaus kommen ließe. Er
erzählte das Vorgefallene an Michael Paulowitsch und der
Großfürst befahl, den Schüler heimlich aus dem Lyceum aus=
zuschließen und die Sache damit zu beendigen. Der junge
Mensch kam heraus mit einem Zeugniß, nach welchem es ihm
unmöglich war in irgend ein Lehrfach einzutreten, d. h. mit
anderen Worten, nach welchem ihm beinahe jede Zukunft ab=
geschnitten wurde, denn er war nicht reich; und Alles das
wegen der unvorsätzlichen Verstümmelung der Tafel, die mit
dem allerhöchsten Namen geziert war! Ja und das geschah
noch durch die besondere Gnade Gottes, der gerade zu der
Zeit seinen Bruder tödtete, durch die, im Generalstande un=
erhörte Herzensgüte und durch die großfürstliche Herablassung!
Mit ungewöhnlichem Talent begabt, erlangte er es später mit
der größten Mühe, bei den Vorlesungen der Moskauer Uni=
versität zugelassen zu werden.

müdet zu sein, oder es beschäftigte und verwirrte ihn irgend ein Gedanke, mit dem er sich noch nicht abgefunden hatte. Wir werden später sehen, daß das Letztere wirklich der Fall war.

Nach einer dieser Vorlesungen, im Monat März, kam einer unserer gemeinschaftlichen Bekannten Hals über Kopf gelaufen, um die Ankunft von N. und C. aus dem Auslande zu melden.

Wir hatten uns seit mehreren Jahren nicht gesehen und sehr selten geschrieben — wie waren sie geworden? Mit pochendem Herzen eilte ich mit Granoffski zu Jar, wo sie wohnten. Wie waren sie verändert und welche Bärte hatten sie! Wir sahen nichts als Unsinn und sprachen Unsinn, und wir fühlten doch, daß wir etwas Anderes sprechen wollten.

Endlich war unser kleiner Kreis beinahe ganz versammelt — nun konnten wir leben!

Aber es kam anders! Die Ankunft N.'s beschleunigte eine Erklärung, welche nöthig war, welche wir aber hinausgeschoben hatten. Vorher trat jedoch ein Ereigniß ein, welches eine große Veränderung in meinem Leben hervorbrachte: am 6ten Mai starb mein Vater.

Viertes Kapitel.

Das Ende meines Vaters. — Die Erbschaft. — Die zwei Neffen.

————

Gegen Ende des Jahres 1845 nahmen die Kräfte meines Vaters zusehends ab; er schwand sichtlich dahin, besonders seit dem Tode des Senators, welcher in Uebereinstimmung mit seinem Leben ganz plötzlich, beinahe im Wagen gestorben war. Er war eines Abends, im Jahre 1839, aus einer landwirthschaftlichen Schule kommend, bei meinem Vater gewesen, um diesem das Modell einer agronomischen Maschine zu zeigen, deren Gebrauch ihn, wie ich vermuthe, sehr wenig interessirte, und war um elf Uhr Abends nach Hause gefahren.

Er hatte die Gewohnheit, vor Schlafengehen immer erst noch ein wenig zu essen und ein Glas rothen Wein zu trinken; dieses Mal aß und trank er nichts, er sagte meinem alten Freunde Karl, daß

er ermüdet sei und sich hinlegen wolle und verab-
schiedete denselben. Karl half ihm erst sich entkleiden, setzte dann das Licht vor's Bett und ging.
Kaum war er in seinem Zimmer und hatte den Frack
ausgezogen, als der Senator schellte, Karl stürzte
zu ihm — der Alte lag todt neben seinem Bette.

Dieser Vorfall erschütterte und erschreckte meinen Vater sehr; die drei älteren Brüder lagen begraben, er war der Letzte, die Reihe zu sterben
war nun an ihm. Er wurde finsterer und obgleich
er, nach seiner Gewohnheit, seine Angst zu verbergen suchte, so verriethen ihn doch die Muskeln; ich
sage absichtlich: die Muskeln, denn das Gehirn und
die Nerven blieben unverändert bei ihm bis zum
Tode. Im April 1846 nahm das Gesicht des alten
Mannes den Ausdruck eines Sterbenden an, die
Augen verloren den Glanz, er wurde so mager, daß
er zuweilen, mir seine Hände zeigend, sagte: „Das
Skelet ist fertig, man braucht nur noch die Haut
abzuziehen." Seine Stimme wurde schwächer, er
sprach langsamer; aber Geist, Gedächtniß und Charakter blieben unverändert: dieselbe Ironie, dieselbe
Unzufriedenheit mit Allem und dieselbe reizbare Launenhaftigkeit. „Erinnern Sie sich, wer nach dem
Kriege unser Gesandter in Turin war?" fragte ihn
einer seiner alten Bekannten ungefähr zehn Tage

vor seinem Tode; „Sie waren damals im Auslande."

„Severin," erwiderte der Alte nach einem Augenblick des Nachdenkens.

Am dritten Mai fand ich ihn im Bette, seine
Wangen brannten im Fieber, welches er sonst beinahe nie hatte, er war unruhig und sagte, daß er
nicht aufstehen könne; darauf befahl er selbst, ihm
Blutegel zu setzen und, während dieser Operation
im Bette liegend, fuhr er in seinen bitteren Bemerkungen fort. „Ah du bist hier!" sagte er, als wenn
ich eben erst hereingekommen wäre; du solltest ein
wenig ausfahren, mein Freund, und dich zerstreuen;
es ist ein sehr melancholisches Schauspiel, einen Menschen sich auflösen zu sehen, cela donne des pen-
sées noires! Aber erst gieb dem Menschen einen
Griwennik!" (zehn Silberkopeken.)

Ich suchte in der Tasche und fand nichts Klei-
neres als einen Viertel-Rubel, den ich ihm geben
wollte; der Kranke aber sah es und sagte: „Wie
langweilig du bist! ich sagte: einen Griwennik."

„Ich habe keinen bei mir."

„Gieb mir meinen Geldbeutel aus dem Bü-
reau!" Und nach langem Suchen fand er den Griwennik.

G., der Neffe meines Vaters, kam; der Alt

schwieg. Um nur etwas zu sagen, bemerkte G.,
daß er eben vom General-Gouverneur käme; der
Kranke legte, als er dies hörte, seine Finger an
sein schwarzes Sammtkäppchen, wie ein Soldat. Ich
wußte, was dies zu bedeuten hatte; G. hätte sagen
müssen: „Bei Tscherbatoff.“ „Stellen Sie sich vor,“
fuhr G. fort, „wie merkwürdig! er leidet an der
Steinkrankheit.“

„Warum ist denn das merkwürdig, daß der
General-Gouverneur an der Steinkrankheit leidet?“
fragte langsam der Kranke.

„Weil er älter als siebzig Jahre ist und sich
der Stein zum ersten Male bei ihm zeigt, mon
oncle.“

„Nun da bin ich auch sehr merkwürdig, obgleich
ich nicht General-Gouverneur bin: ich bin sechsund-
siebzig Jahre alt und sterbe jetzt zum ersten Male!“

Er fühlte in der That die Nähe des Todes
und dies gab seiner Ironie einen Makabrischen Charakter, der Einen zugleich lachen und vor Entsetzen
schaudern machte. Sein Kammerdiener, der immer
am Abend die kleinen häuslichen Berichte zu machen
hatte, erwähnte, daß der Kummet des Pferdes vom
Wasserkarren sehr schlecht geworden sei und daß man
einen neuen haben müsse. „Was für ein komischer
Mensch du bist,“ sagte mein Vater; „hier stirbt

ein Menſch und du ſprichſt von dem Kummet. Warte noch einige Tage, bis du mich in den Saal auf den Tiſch trägſt, dann frage ihn" (indem er auf mich zeigte), „er wird dir befehlen, nicht nur einen Kummet, der nöthig iſt, ſondern auch Sattel und Zügel zu kaufen, die nicht nöthig ſind."

Am fünften Mai verſtärkte ſich das Fieber, die Züge des Alten wurden noch länger und ſchwärzten ſich, er verzehrte ſich ſichtlich am innern Feuer. Er ſprach wenig, aber mit völliger Geiſtesgegenwart; am Morgen verlangte er Kaffee, dann Bouillon und von Zeit zu Zeit trank er etwas Tiſane. In der Dämmerung rief er mich und ſagte: „Es iſt aus!" und fuhr mit der Hand über die Bettdecke, als wenn er einen Säbel oder eine Sichel ſchwänge. Ich führte ſeine Hand an meine Lippen, ſie brannte. Er wollte etwas ſagen, fing an und ſchloß, ohne etwas geſagt zu haben, mit den Worten: „Nun, du weißt es!" dann wendete er ſich zu G. J., der an der andern Seite des Bettes ſtand: „Es iſt ſchwer," ſagte er und heftete einen traurigen Blick auf ihn. G. J., welcher damals die Geſchäfte meines Vaters verſah, ein äußerſt redlicher Menſch, der ſein Ver-trauen in vollem Maaße verdiente, neigte ſich zu dem Kranken und ſagte: „Alle bisher angewandten Mittel ſind ohne Erfolg geblieben; erlauben Sie mir

Herzen, Gedachtes und Erlebtes. 16

Ihnen zu rathen, Ihre Zuflucht zu einem andern Arzt zu nehmen."

„Zu welchem?" fragte der Kranke.

„Möchten Sie nicht den Priester sehen?

„Oh!" erwiderte der Kranke, indem er sich zu mir wandte, „ich dachte, G. J. wollte mir in der That zu einem andern Arzte rathen."

Darauf schlummerte er ein, und schlief bis zum folgenden Morgen. Die Krankheit machte fürchter- liche Fortschritte in der Nacht; das Ende war nahe; ich schickte um neun Uhr einen reitenden Boten zu G.

Um halb elf Uhr verlangte der Kranke sich an- zukleiden. Er konnte nicht auf den Füßen stehen, er konnte Nichts mit der Hand festhalten, aber er bemerkte sogleich, daß die silbernen Schnallen an den Beinkleidern fehlten, und befahl, sie zu bringen. Angekleidet ging er, von uns unterstützt, in sein Cabinet. Dort standen sein großer Voltaire-Lehn- stuhl und ein kleiner harter Sopha, auf welchen wir ihn legen mußten; er sprach einige unverständ- liche und unzusammenhängende Worte, aber nach ungefähr fünf Minuten öffnete er die Augen und da er dem Blick G.'s begegnete, frug er ihn: „Was ihm so früh das Vergnügen verschaffe?" „Ich war ganz in der Nähe," erwiderte G., „da wollte ich mich nach Ihrer Gesundheit erkundigen, lieber Ontel." — Der Alte lächelte, als ob er sagen wollte: „Du führst mich nicht an, mein Freund!" — Dann verlangte er seine Tabacksdose, ich gab sie ihm und öffnete sie, aber trotz aller Anstrengung konnte er die Finger nicht dazu bringen den Taback zu nehmen; das schien ihn zu erschrecken, er blickte finster um sich und von Neuem lief eine Wolke über seine Stirn, er sprach unzusammenhängende Worte, dann fragte er: „Wie nennt man doch die Pfeifen, die man durch Wasser raucht?" — „Kaljan," bemerkte G. — „Ja — ja — meinen Kaljan" — und weiter nichts.

Während dem hatte G. hinter der Thür den Geistlichen mit dem Sacrament eingeführt und fragte nun laut den Kranken, ob er ihn empfangen wolle. Der Alte schlug die Augen auf und nickte mit dem Kopfe. K... öffnete die Thür und ließ den Geistlichen ein. Mein Vater war wieder in sich versunken, aber einige Worte des Priesters, mit gedehnter Stimme gesprochen und der Geruch des Weihrauchs ermunterten ihn, er bekreuzte sich; der Priester ging näher, wir traten zur Seite.

Nach der Ceremonie sah der Kranke, daß der Doktor Löwenthal eifrig ein Recept schrieb. „Was schreiben Sie?" fragte er: „Ein Recept für Sie." — „Was verschreiben Sie, Moschus oder was sonst?

16*

Sie sollten sich schämen und mir Opium geben, damit ich ruhiger sterben könnte. Hebt mich auf, ich
will auf dem Lehnstuhl sitzen," fügte er hinzu, indem er sich zu uns wandte. Dies waren die letzten
zusammenhängenden Worte, die er sprach.

Wir hoben den Sterbenden auf und setzten ihn
in den Lehnstuhl. „Bringt mich an den Tisch!" —
wir thaten es. Er sah uns Alle nach der Reihe
mit matten Augen an. „Wer ist das?" frug er,
indem er auf M. K. zeigte. Ich nannte sie.

Er wollte den Kopf auf die Hand stützen, die
Hand versagte aber den Dienst und fiel wie leblos
auf den Tisch; ich legte die meinige dafür unter.
Er blickte noch einige Mal matt und krank umher,
als wolle er um Hülfe bitten, das Gesicht wurde
mehr und mehr ruhig und still — ein Seufzer, noch
einer und der Kopf, der immer schwerer geworden
war auf meiner Hand, wurde kalt — alle Anwesenden beobachteten einige Minuten lang ein todtenähnliches Schweigen.

Dies war am 6. Mai 1846, gegen drei Uhr
Nachmittags.

Feierlich und prächtig wurde er darauf im Jung-
fern-Kloster begraben. Zwei Bauerfamilien, denen
er die Freiheit gegeben hatte, kamen aus dem Dorfe,
um den Sarg zu tragen; wir folgten — Fackeln,

Sänger, Popen, Archimandriten, der Bischof — das die Seele bewegende Lied: „Zur heiligen Ruh" — dann ein Gebet — der dumpfe Fall der Erde auf den Sargdeckel — und das lange Leben des Greises, der das Scepter in seinem Hause so kräftig geführt, es so schwer alle ihn Umgebenden hatte fühlen lassen — war geendet, sein Einfluß war plötzlich verschwunden, sein Wille vernichtet — er war todt, völlig todt!

Das Grab schloß sich, die Popen und Mönche gingen zum Leichenschmaus, ich ging nicht mit, sondern zog es vor nach Hause zurückzukehren; die Equipagen zerstreuten sich, die Bettler drängten sich um die Pforten des Klosters, die Bauern standen in einem Haufen, sich den Schweiß von der Stirn wischend, ich kannte sie Alle genau, grüßte sie, dankte ihnen und ging.

Schon vor dem Tode meines Vaters waren wir beinahe ganz aus dem kleinen Hause in das große, das er bewohnte, übergezogen; aber ich hatte mich in den ersten drei Tagen nach dem Tode wenig darin umsehen können, und das war nicht zu verwundern. Als ich vom Begräbnisse zurückkehrte, that mir das Herz furchtbar weh. Auf dem Hofe, im Vorhause begegnete ich Dienern, Männern und Frauen, welche mich um Schutz und Hülfe baten; weswegen, werden wir gleich sehen. Im Saal roch es nach Weihrauch; ich ging in das Zimmer, in welchem das Bett meines Vaters gestanden hatte, das war hinausgetragen; die Thür, durch welche nicht blos die Diener, sondern auch ich nur mit leisen Schritten zu kommen pflegten, war offen und die Dienstmagd deckte in der Ecke einen kleinen Tisch. Alles verlangte Befehle von mir. Meine neue Lage war mir widerwärtig, beleidigend: dieses Haus — Alles darin — gehörte mir, weil — ein Anderer gestorben war und dieser Andere war mein Vater gewesen. Es schien mir, als ob in diesem groben Besitznehmen etwas Unreines liege, als ob ich den Verstorbenen bestöhle.

Die Erbschaft hat eine tief unmoralische Seite; denn sie schwächt die natürliche Trauer um den Verlust eines nahen Wesens durch die Einführung in den Besitz seiner Hinterlassenschaft. Zum Glück entging ich einer andern ihrer widerwärtigen Folgen, nämlich den wilden Streitigkeiten, den abscheulichen Zänkereien, die sich oft um die Beute über einem Grabe erheben. Die Theilung des ganzen Vermögens geschah in ungefähr zwei Stunden Zeit, während welcher Niemand ein kaltes Wort sagte, Niemand die Stimme erhob und nach denen wir uns mit der größten gegenseitigen Achtung trennten. Diese

Thatſache, die G. .. zur größten Ehre gereicht, verdient, daß ich einige Worte darüber ſage.

Noch zu Lebzeiten des Senators hatten mein
Vater und er die Uebereinkunft getroffen, daß der
zuerſt Sterbende dem Andern ſein Vermögen mit
der Bedingung hinterlaſſen wolle, daß es nach Beider Tode an G. fiele. Mein Vater verkaufte einen
Theil ſeines Beſitzes und beſtimmte das dafür ge-
löſte Capital für uns. Dann gab er mir noch ein
kleines Gut im Gouvernement Koſtroma und dies
nur auf das ausdrückliche Verlangen von Madame
Scherebzoff. Dieſes Gut iſt jetzt auf ungeſetzliche
Weiſe von der Regierung ſequeſtrirt, noch ehe eine
Anfrage an mich geſtellt worden war, ob ich zurückkehren wolle oder nicht. Nach dem Tode des Senators verkaufte mein Vater deſſen Twerſches Beſitz-
thum. Da die meinem Vater gehörende Familien-
beſitzung die, aus dem Theil des Bruders von ihm
verkaufte deckte, ſo ſchwieg G. Als aber mein Vater die Abſicht verrieth, mir die Beſitzung bei Moskau zu geben unter der Bedingung, daß ich, nach
ſeiner Beſtimmung, meinen Bruder und die übrigen
Perſonen mit Geld abfinden ſollte, da bemerkte G.,
daß dies nicht mit dem Willen des Verſtorbenen
übereinſtimme, der gewollt habe, daß die Beſitzung
auf ihn übergehe. Der Alte, dem die kleinſte Op-

position unerträglich war, besonders bei solchen Plänen, die er lange überlegt hatte und deshalb für die besten hielt, überhäufte den Neffen mit Vorwürfen. G. sagte sich von aller Theilnahme an seinen Geschäften und, schlimmer als das, von der Ernennung zum Testamentsvollstrecker los. Der Streit wurde so arg, daß sie alle Beziehungen abbrachen.

Dies war ein schwerer Schlag für den Alten. Es gab nur wenige Menschen auf der Welt, die er wirklich liebte, und G. gehörte zu diesen wenigen. Er war unter den Augen des Alten aufgewachsen, die ganze Familie war stolz auf ihn, mein Vater hatte das größte Vertrauen zu ihm, er stellte ihn mir immer als Muster vor und nun plötzlich war „Mita, der Sohn von Schwester Elisabeth," mit ihm entzweit, sagte sich los von den Familien-Anordnungen, legte sein Veto ein und hinter ihm wurden schon die ironischen Blicke des Chemikers sichtbar, der seine Nase mit den von Vitriol verbrannten Fingern rieb.

Seiner Gewohnheit gemäß ließ sich mein Vater nicht merken, daß ihn dies beleidige und vermied es, über G. zu sprechen; aber er wurde finsterer und unruhiger und sprach öfters über das schreckliche Zeitalter, in welchem sich alle Bande der Verwandtschaft lös'ten und die alten Leute nicht mehr

die Verehrung und Achtung genössen, deren sie in
früheren glücklichen Zeiten genossen hätten, (wahrscheinlich als Katharina II. die Repräsentantin aller
Familientugenden war!).

Als diese Streitigkeiten begannen, war ich in
Sokoloff und hörte kaum etwas davon; aber am
Tage nach meiner Rückkehr nach Moskau kam G.
früh Morgens zu mir. Ein großer Pedant und
Formalist, erzählte er mir die ganze Sache weitläufig, in gutem richtigem Styl, hinzufügend, daß er
sich besonders darum so geeilt habe zu mir zu kommen, um mich von der Sache in Kenntniß zu setzen,
ehe ein Anderer mich von dem Streite benachrichtige.

„Man nennt mich nicht umsonst Alexander,"
erwiderte ich scherzend, „diesen gordischen Knoten
werde ich sogleich zerhauen. Sie müssen sich auf
jeden Fall versöhnen und, um den Gegenstand des
Streites zu vernichten, erkläre ich Ihnen offen und
ehrlich, daß ich auf Pokroffska verzichte; die dorti-
gen Waldungen sind allein hinreichend, um den Verlust der Twerschen Besitzung zu decken."

G. wurde etwas verwirrt und bewies mir dann
mit vielen Worten, was er mir eben so gut mit
zwei Worten hätte sagen können. Wir trennten uns
im besten Einverständniß. Nach einigen Tagen sprach
mein Vater des Abends selbst über G. und ließ an

ihm, wie er dies gewöhnlich that, wenn er mit Jemand unzufrieden war, kein gutes Haar. Dieses
Ideal, auf welches er mich seit meinem zehnten Jahr
hingewiesen hatte, dieser musterhafte Sohn, dieser
unvergleichliche Bruder, dieser beste Neffe in der
Welt, dieser bis zur Vortrefflichkeit erzogne Mensch,
dieser Mensch endlich, der sich so tadellos ankleidete,
daß der Knoten des Halstuchs niemals weder zu
groß noch zu klein war — dieser selbe Mensch erschien jetzt in einem so negativen photographischen
Abdruck, daß das Concave convex wurde und das
Weiße schwarz.

Der Uebergang zum einfachen Schelten wäre
zu grob und zu bemerklich gewesen ohne vorherge-
hende verschiedne Uebergüsse, Abstufungen und Brü-
cken. Solch eine Inconsequenz konnte mein Vater
bei seinem Verstand nicht begehen.

„Ja, sag' mir, ich vergaß ganz dich zu fragen,
sahst du Dimitreff Paulowitsch schon (früher wurde
er immer Mita genannt) nach deiner Rückkehr?"

„Ein Mal."

„Nun wie befindet sich Se. Excellenz?"

„Ganz wohl."

„Es ist sehr gut, daß du ihn gesehen hast; an
dergleichen Leute muß man sich halten. Ich liebe
ihn und bin gewöhnt ihn zu lieben und er verdient

das auch. Nun bei alledem hat er aber doch seine
sehr lächerlichen Schwächen — übrigens Gott allein
ist ohne Sünde! Die schnelle Carriere hat ihm
den Kopf verdreht — hm! ein junger Mann mit
dem Annenstern — dazu kommt die Art seines Dien-
stes — als Kurator geht er mit den Schülern ganz
von oben herab, um; wenn er mit ihnen spricht,
so hören diese ihm auf das Unterwürfigste zu —
nun und da denkt er, daß er mit allen Leuten in
demselben Tone reden kann. Ich weiß nicht, be=
merktest du es nicht auch, aber mir scheint selbst
seine Stimme verändert? Ich erinnere mich unter
der verstorbnen Kaiserin des Fürsten Prosoroffski,
der befahl auch seinen Untergebnen mit so scharfer
Stimme. Es ist lächerlich zu sagen, aber er kam
plötzlich zu mir, um mir einen Verweis zu geben!
Ich hörte ihm zu und dachte, wenn dies die ver-
storbne Schwester Elisabeth sehen könnte! aus meinen Händen empfing Paul Iwanowitsch sie am Tage
ihrer Verheirathung, und dies ist ihr Sohn! „Ja,
Onkel," schrie er, „wenn es so ist, so thun Sie besser, sich an Alexei Alexandrowitsch zu wenden, aber
mich bitte ich damit zu verschonen." Nun du weißt,
ich stehe mit einem Fuße im Grabe, bin beschwert
mit Sorgen und Krankheit, ein wahrer Hiob im
Leiden — und er schreit — wird feuerroth im Ge-

ficht — Quel siècle! Ich weiß, er ift verwöhnt in
den Dikafterien — er geht nirgendswohin, fondern
liebt es, das Haus mit den Staroften in Ordnung
zu bringen, ja felbft mit den Kutfchern — und dann
alle diefe Schreiber — da heißt es: Ew. Excellenz
hier, Ew. Excellenz dort! — ja ja, das hat ihm
den Kopf verdreht."

Kurz, wie das Portrait Ludwig Philipp's, wenn
man leife die Züge ändert, allmählig aus einem
reifen Alten zu einer faulen Birne wird, fo wurde
auch der „unvergleichliche Mita" von Nüançe zu
Nüançe verändert, bis er endlich eine Art Cartouche
oder Schemak geworden war.

Als die letzten Pinfelftriche vollendet waren,
erzählte ich mein ganzes Gefpräch mit G. Der
Alte hörte mir aufmerkfam zu, zog die Augenbrauen
zufammen und fagte dann, eine Prife über die andere nehmend:

„Ich bitte dich, lieber Freund, bilde dir nicht
ein, daß du mich verlegen machft, indem du auf
Pokroffska verzichteft. Ich werde nie Jemand bitten
und Bücklinge vor ihm machen, daß er fo gefällig
fein möge meine Befitzung anzunehmen, und ich
bücke mich auch vor dir nicht. Es werden fich fchon
Liebhaber finden! Ihr alle durchkreuzt jetzt meine
Projekte, das langweilt mich! Ich werde Alles

dem Hospital vermachen, |die Kranken werden meiner in Liebe gedenken. Nicht nur Mita, auch du scheinst mich lehren zu wollen, wie ich mein Vermögen in Ordnung zu bringen habe. Ist's denn schon lange her, daß Vera dich im Troge wusch? Ich bin des Dinges müde und es ist Zeit ihm ein Ende zu machen; ich werde selbst in das Hospital gehen."

So endigte das Gespräch.

Am andern Tage gegen elf Uhr Morgens schickte mein Vater den Kammerdiener, um mich zu holen. Dies geschah sehr selten. Gewöhnlich ging ich vor dem Essen oder zum Thee zu ihm. Ich fand den Alten vor seinem Schreibtisch, die Brille auf der Nase und Papiere vor sich liegend. „Komm hierher, wenn du mir ein Stündchen Zeit schenken kannst; hilf mir diese Papiere in Ordnung zu bringen. Ich weiß, du beschäftigst dich damit Artikel zu schreiben — du bist ein Literator — ich sah 'mal in der „Vaterländischen Post"*) so einen von deinen Artikeln, ich verstand kein Wort davon, lauter so wunderliche Ausdrücke! Ja überhaupt, was ist das für eine Literatur jetzt — sonst schrieben die Derschawin, die Dmitrieff; heute schreiben: du, mein Neffe N. und Andere. Nun ja, es ist besser zu Hause zu sitzen

---

*) Er wußte recht gut, daß es „Vaterländische Blätter' hieß.

und dummes Zeug zu schreiben, als immer in dem
Schlitten herumzufahren, oder bei Jar Champagner
zu trinken.

Ich hörte zu und begriff durchaus nicht, wohin
diese captatio benevolentiae führen solle. „Setz'
dich hierher, da lies dies Papier und sag' deine
Meinung." Dies war das Testament und einige
Clauseln zu demselben. Von seinem Standpunkt
aus war dies der höchste Beweis von Vertrauen,
den er mir geben konnte.

Sonderbare psychologische Thatsache! Während des Lesens und des Gesprächs bemerkte ich
zwei Dinge: erstens, daß er sich mit G. versöhnen
wollte, und zweitens, daß er meinen Verzicht auf
das Besitzthum sehr hoch schätzte. Wirklich bewies
er mir von dieser Zeit, d. h. vom Oftober 1845 an,
bis zu seinem Tode, nicht nur in allen Fällen Vertrauen, sondern er berieth sich auch zuweilen mit
mir und handelte sogar einige Mal nach meinem
Rathe.

Was hätte ein Mensch hiervon denken sollen,
der unser Gespräch am vorigen Abend mit angehört
hätte? Ich habe nicht ein Jota in der Antwort
meines Vaters in Betreff Pokroffska's verändert,
denn ich erinnere mich ihrer sehr wohl.

Das Testament war in den Haupttheilen ein-

fach und klar; er hinterließ allen unbeweglichen Besitz an G., allen beweglichen, das Capital und die
Häuser, meiner Mutter, meinem Bruder und mir,
mit der Bedingung gleicher Theilung. Dagegen waren die beigefügten Clauseln, auf verschiedne Stücke
Papier ohne Nummern geschrieben, nichts weniger
als einfach. Die Verantwortlichkeit, welche er uns,
besonders G., auferlegte, war unerträglich. Die
Clauseln widersprachen sich gegenseitig und trugen
den Charakter der Unentschiedenheit, aus welchem
gewöhnlich häßliche Streitigkeiten und Beschuldigun-
gen hervorgehen.

Da war z. B. die folgende Bestimmung: „Allen
Dienstboten, welche mir gut und eifrig gedient
haben, gebe ich die Freiheit und trage Euch auf,
sie mit Geld für ihre Dienste zu belohnen."

In einer andern Clausel war gesagt, daß er
das alte steinerne Haus G. J. hinterlasse. Wieder
in einer andern war über das Haus anders verfügt
und G. J. war Geld hinterlassen, aber es war nicht
gesagt, ob dieses Geld für das ihm wieder genom-
mene Haus gelten sollte. In einer dritten Clausel
bestimmte er einem Verwandten 10,000 Rubel, und
in der vierten hinterließ er der Schwester desselben
ein kleines Gut mit der Bedingung, daß sie dem
Bruder die 10,000 R. auszahlen solle.

Ich muß bemerken, daß ich die Hälfte dieser Anordnungen schon früher mündlich von ihm gehört hatte und nicht ich allein. Der Alte hatte mehrere Mal in meiner Gegenwart mit G. J. von dem Hause gesprochen und ihm sogar gerathen, dasselbe zu beziehen. Es versteht sich von selbst, daß mit einem redlichen und edeln Menschen, wie G. J., mit dem wir genau bekannt waren, kein Mißverständniß aufkommen konnte, so wenig als mit G.; aber der andere liebe Verwandte war nicht nur damals über= zeugt, sondern hatte auch später die Stirn (ich weiß nicht, was ihn dazu bewog) zu sagen, daß wir vier Personen von zwei Erbschaften eine Million bekom= men und ihn um fünfundbreißig Tausend Rubel be= trogen hätten. Ich schlug meinem Vater vor, G. und G. J. aufzutragen, eine allgemeine Schrift auf= zusetzen. „Nun freilich," sagte er, „Mita könnte uns dabei helfen, aber er wird wohl sehr beschäf= tigt sein. Du kennst ja diese Staatsbeamten! Ehe er zu dem sterbenden Onkel kommt, muß er erst alle Seminarien revidiren."

„Er kommt gewiß," bemerkte ich, „die Sache ist zu wichtig für ihn."

„Ich werde ihn immer gern sehen; nur ist mein Kopf nicht immer in der Verfassung, um über Ge= schäfte zu reden. Mita est très verbeux, er über=

redet mich und mir drehten sich die Gedanken sieben
Mal im Kreise herum. Du thätest besser, alle diese
Papiere zu ihm zu tragen, da könnte er seine Be-
merkungen auf den Rand machen."

Nach ungefähr zwei Tagen kam G.; er war,
als großer Formalist, noch mehr über die Anordnungen erschrocken als ich und, als Classiker, bemerkte er: „mais mon cher, c'est le testament
d'Alexandre le grand." Mein Vater stellte sich, wie
er dies in solchen Fällen stets zu thun pflegte, weit
kränker als er wirklich war, sagte G. einige Spitz-
findigkeiten, umarmte ihn dann, berührte seine Wange
mit der seinigen und das Familien-Campo-Formio
war geschlossen.

Soviel wir konnten, überredeten wir den Alten,
die Redaktion seiner Clauseln zu ändern und Alles
in Eine Schrift zu bringen. Er verstand sich endlich dazu, schrieb die Schrift selbst, aber er beendigte sie erst nach Verlauf von sechs Monaten.

Nach der Theilung erhob sich zuerst die Frage,
wer bekommt die Freiheit und wer nicht? Was die
Geldbelohnungen anbetraf, so hatte ich meinen Vater noch überredet, eine feste Summe zu bestimmen
und nach langem Zögern hatte er 3000 Silberru-
bel bestimmt. G. erklärte den Leuten, daß, da er
nicht wisse, wer gerade im Hause gedient habe und

Herzen, Gedachtes und Erlebtes.   17

wer nicht, er es mir überlasse, die Bestimmungen
meines Vaters in Bezug auf sie zur Ausführung zu
bringen. Ich begann damit, eine Liste aller im Hause
Dienenden anzufertigen. Aber als sich das Gerücht
von meiner Liste verbreitete, da bestürmten mich die
Diener vergangner Generationen von allen Seiten;
sie kamen mit schlecht geschoren grauen Bärten,
kahlköpfig, zerlumpt, mit dem unsichern Schütteln
des Kopfes und dem Zittern der Hände, welche die
Folge von zwanzig oder dreißig Jahren des Trun-
kes sind; es kamen auch alte Frauen voller Runzeln,
in Hauben mit ungeheuren Strichen, Pathen und
Pathinnen meines Vaters, von deren Existenz ich
keine Ahnung hatte. Einige dieser Leute hatte ich
nie gesehen, Anderer erinnerte ich mich wie im Traum.
Endlich erschienen auch solche, von denen ich gewiß
wußte, daß sie nie Dienste im Hause verrichtet, sondern immerwährend einen Paß hatten, und Andere,
die gar nicht bei uns, sondern bei'm Senator, oder
seit Menschenaltern im Dorfe lebten. Wenn diese
alten Männer mit den schlotternden Beinen und
diese in die Erde wachsenden, vom Alter verräucher-
ten Frauen für sich hätten frei sein wollen, so wäre
die Verlegenheit nicht groß gewesen; aber das wollten sie gar nicht, sie waren vielmehr bereit, ihr Leben unter Dmitreff Paulowitsch zu beschließen, wohl

aber hatte beinahe Jeder von ihnen Söhne, Töchter oder Enkel, um deren Befreiung sie baten. Ich
dachte nach, dachte und dachte und gab zuletzt Allen
ein Certifikat. G. wußte, daß die Hälfte dieser Unbekannten niemals im Dienste gewesen waren, trotz-
dem befahl er Allen Freiheitsbriefe zu schreiben, als
er meine Certifikate sah. Als wir die Freiheitsbriefe
unterschrieben, strich er sich die Haare zurecht und
sagte lächelnd zu mir: „Ich denke, wir haben Man-
chen befreit, der uns gar nichts angeht."

G. war in seiner Art ein eben so origineller
Kauz, wie alle Mitglieder der Familie meines Vaters.

Die jüngste Schwester meines Vaters war
mit einem alten, alt-adligen und sehr reichen russi-
schen Edelmann, Paul Iwanowitsch G., verheirathet gewesen. Die Familie erscheint in der russischen
Geschichte zur Zeit Johann's des Grausamen, zur
Zeit des falschen Demetrius und während des In-
terregnums. Der berühmte Awrami Palizin zog den
Zorn von Dmitri Paulowitsch und dann eine lange
Strafpredigt desselben auf sich, weil er in seinem
Bericht über die Belagerung des Klosters von Troitze-
Sergieffski unvorsichtig über einen Vorfahren dessel-
ben gesprochen hatte. Paul Iwanowitsch war mür-
risch, geizig, außerordentlich ehrlich und ganz ein
Geschäftsmensch. Wir sahen schon früher, wie er

17*

meinen Vater verhinderte Moskau im Jahre 1812 zu verlassen und wie er nachher im Dorfe am Schlage starb.

Er hinterließ zwei Söhne und eine Tochter. Sie lebten mit der Mutter in demselben großen Hause auf dem Twerschen Boulevard, dessen Brand den Alten so sehr erschüttert hatte.*) Die etwas strenge, geizige und schwerfällige Art des Alten überlebte ihn. In dem Hause herrschte viel Langeweile, viel officielle Höflichkeit, ein Ton des Wohlwollens verbunden mit dem Gefühl der eignen Würde, welcher auf die Länge außerordentlich ermüdend wurde. Die großen und gut gehaltnen Zimmer waren viel zu leer und zu still. Schweigend saß die Tochter an ihrer Arbeit; die Mutter, die noch die Spuren großer Schönheit trug und auch noch nicht alt war, etwas über 45 Jahre, fing an zu kränkeln und lag gewöhnlich auf dem Sopha, Beide sprachen in einem schleppenden und etwas singenden Tone, den überhaupt damals die Moskauer Damen und Mädchen angenommen hatten. Dmitri Paulowitsch konnte mit achtzehn Jahren für einen vierzigjährigen Mann gelten. Der jüngere Bruder war lebhafter als er, er war aber fast nie zu Hause.

*) S. einen früheren Theil der Memoiren.

Alle diese Menschen sind todt; aber ich erinnre mich noch, wie die Mutter Dmitri Paulowitsch die feierliche Investitur von Pferden und von einem Wagen gab. Ihr gewesener Erzieher, Marschall, ein vortrefflicher Mensch, der mir in etwas zum Typus des Joseph in „Wer hat Schuld" diente, gab mir Stunden nach Bougeaud.

Wie man auch diese Fragen über Leben, Tod und Schicksal umgehen, maskiren oder verständig entscheiden mag, sie bleiben immer dieselben mit ihren Grabhügel-Kreuzen und mit dem sonderbaren Lächeln, welches die Kinnladen der Todtenköpfe haben.

Und wenn man nachdenkt, so sieht man ein, daß es unmöglich ist nicht zu lächeln. Da z. B. nur das Schicksal dieser zwei Brüder — was für Gedanken kommen Einem nicht, wenn man an sie denkt!

Der Gegensatz zwischen meinem Vater und dem Senator war nichts im Vergleich zu dem, der zwischen jenen Beiden herrschte, ungeachtet sie in einem Zimmer aufgewachsen waren, und denselben Erzieher, dieselben Lehrer, dieselbe Stellung gehabt hatten. Der ältere Bruder war blond, von britisch-röthlicher Nüançe, er hatte hell graue Augen, die er zuzukneifen liebte und welche die Unveränderlichkeit

seines Geistes ausdrückten. Mit den Jahren nahm
sein Wesen mehr und mehr den Ausdruck vollkommner Selbstachtung und einer gewissen psychischen
Sättigung in sich selbst an. Er kniff hierauf nicht
mehr blos die Augen, sondern er kniff auch die Na-
senlöcher, die von einem besondern und sehr gelun-
genen Schnitt waren, zusammen. Indem er sprach,
strich er mit dem dritten Finger der linken Hand
die Haare, welche immer gelockt und wohl frisirt
waren, über die Schläfen, und um seine Lippen spielte
beständig ein wohlwollendes Lächeln. Dieses Lächeln erbte er von seiner Mutter und von Lampi's
Portrait Katharina's II. Seine regelmäßigen Züge,
die straffe und hohe Gestalt mit den sorgfältig ab-
gemessenen Bewegungen, das Halstuch, dessen Knoten „niemals zu groß noch zu klein war," gaben
ihm die feierliche Schönheit eines ehrbaren Zeugen
bei einer Hochzeit, eines Schulmeisters, der Belohnungen an ausgezeichnete Schüler austheilt, oder
endlich eines Menschen, welcher zu einem Feiertage
oder zum neuen Jahr zu gratuliren kommt. Für
den Werkeltag, für den täglichen Umgang, war er
viel zu geputzt.

Sein ganzes Leben war eine Reihe von Belohnungen für Erfolge, die er errang und für seine
Moralität. Und er verdiente die Belohnungen voll.

kommen. Marschall, der vor Aerger grau wurde über den jüngeren Bruder, konnte Dmitri Paulo- witsch nicht genug rühmen und glaubte unbedingt an die Unfehlbarkeit seiner französischen Syntax. Wirklich sprach er das Französische mit der unta- delhaften Richtigkeit, mit welcher die Franzosen nie- mals sprechen (wahrscheinlich deshalb, weil in ihnen das Gefühl der ganzen Wichtigkeit, die französische Grammatik zu kennen, nicht entwickelt ist!). Mit vierzehn Jahren nahm er nicht nur Theil an der Verwaltung der Güter, sondern übersetzte die Ros- siade von Cheraskoff in Prosa in das Französische, zur Uebung im Styl. Wahrscheinlich freute sich der Alte in jener Welt, als er dies hörte, mehr dar- über, als „Lebed über die Wasser des Mäander."*) Aber G. sprach nicht nur correct Französisch und Deutsch, kannte nicht nur vollkommen das Lateini- sche, sondern er kannte und sprach auch richtig und gut Russisch.

Wie Marschall ihn für seinen besten Schüler hielt, so hielt seine Mutter ihn für ihren besten Sohn, sein Onkel für seinen besten Neffen und der Prinz Gallitzin, als er unter ihm diente, für den besten Beamten. Was aber noch wichtiger ist, das ist, daß

*) Ein Vers von Cheraskoff.

er Alles dieses in der That war. Und doch — wie
sonderbar! — Doch fühlte man bei ihm den Mangel von irgend etwas. Er war ein verständiger,
thätiger Mensch, las und wußte viel — was konnte
man noch mehr fordern?

Ich begegnete in der Folge noch öfter solchen
Naturen, solchen „glatten" Geistern, welche in einer
gewissen Ausdehnung und einer gewissen Tiefe sehr
tüchtig sind. Sie halten es für weise, immer hübsch
im vorgeschriebenen Geleise zu gehen, sie gehen nie
aus eigenem Antriebe einen Schritt vorwärts, denn
sie könnten ja von dem glatten Wege abweichen;
kurz, sie sind die wahren Kinder ihrer Zeit, ihrer
Gesellschaft. Alles, was sie sagen, ist geistreich,
aber sie könnten ebensogut etwas Anderes sagen;
Alles, was sie thun, ist gut, aber sie könnten ebensowohl etwas Schlechtes thun. Sie zeigen sich gewöhnlich als moralische Menschen, aber eine Stimme
flüstert uns in das Ohr: „sie können auch unmora-
lisch sein." Die Deutschen nennen solche Leute
„Verstandesmenschen;" sie bilden die Mitte der
Whigs in England, die Mitte, deren Genius und
erster Repräsentant jetzt Macaulay ist und in früheren Zeiten Walter Scott war; die Mitte des prak-
tisch-philosophischen Einsiedlers der Chaussée d'Antin
und der philosophischen Versuche von Weiß. Bei die-

sen Leuten ist Alles richtig, ordentlich, auf seinem Platz; sie lieben die Tugend und fliehen das Laster,; Alles bei ihnen hat den bekannten Reiz eines grauen Sommertags, ohne Regen und ohne Sonne, aber Etwas mangelt, wie bei den Töchtern des Czaren Nikita von Puschkin, und ohne dieses Etwas ist alles Uebrige nicht recht.

Der jüngere Bruder G. war lahm geboren, welcher Uebelstand ihn der Möglichkeit beraubte, die antike Haltung und den Versailler Schritt seines ältern Bruders anzunehmen. Dabei hatte er schwarze Haare und große schwarze Augen, welche er nicht zukniff. Dieses energische und schöne Aeußere war aber auch Alles, was zu seinen Gunsten sprach; denn in seinem Innern gährten dumpfe Leidenschaften und trübe Begriffe. Mein Vater, der ihn nicht achtete, sagte einmal, als er ganz besonders unzufrieden mit ihm war: „Welch' ein interessantes Spiel der Natur, auf den Schultern von Nicola — und dabei zuckte er die eignen — den Kopf eines persischen Schachs zu sehen!"

Wie sein älterer Bruder während seines ganzen Lebens nicht einen Augenblick müßig sein konnte und beständig etwas zu thun hatte, so that Nicolai Paulowitsch sein ganzes Leben lang nichts. In seiner Jugend lernte er wenig, mit dreiundzwanzig

Jahren war er schon verheirathet und dies zwar auf
überkomische Weise. Er entführte sich selbst. Er
hatte sich in ein armes, unbekanntes Mädchen mit
einem äußerst lieblichen, träumerischen Köpfchen —
oder, um es richtiger zu sagen, in ein Sevresches
außerordentlich schönes Porzellan-Püppchen — verliebt und bat die Mutter um Erlaubniß, sich mit
ihr verheirathen zu dürfen. Die Mutter, von aristokratischen Vorurtheilen erfüllt, war der Meinung,
daß ihre Söhne unmöglich eine Geringere als eine
Rumanzoff oder Orloff — und zwar mit einer Mit-
gabe von wenigstens so vielen Seelen, als das Wo-
roneschki'sche oder das Rasanski'sche Gouvernement
hat — heirathen könnten; sie verweigerte also ihre
Zustimmung. Aber wie ihn der Bruder auch bat,
wie Onkel und Tanten ihm auch in das Gewissen
redeten, die hellen Augen des jungen Mädchens be-
hielten die Oberhand. Als unser Werther sah, daß
er den Willen seiner Verwandten nicht erschüttern
könnte, ließ er Nachts aus dem Fenster eine Scha-
tulle und einige Wäsche herab, dann den Kammerdiener Alexander und zuletzt sich selbst, nachdem er
seine Thür von innen verschlossen hatte. Am folgenden Tage zur Zeit des Mittagsessens, als man
die Thür öffnete, war er verheirathet. Seine Mutter grämte sich so sehr über diese Mißheirath, daß

sie sich niederlegte und starb; — ihr Tod war ein Opfer auf dem Altar der Etikette und des Vor= urtheils.

— — — Bei ihnen im Hause lebte die Wittwe eines Offiziers, der zur Zeit der Pest und Pugat= scheff's Commandant der Festung Orskoi gewesen war; sie war eine taube, brummige Alte mit einem Schnurrbart. Sie erzählte mir nachher öfter von diesem erschütternden Ereignisse und fügte jedes Mal hinzu: „Ich sah voraus, daß aus dem Nicolai Pau= lowitsch nichts als ein Taugenichts werden könne und daß er kein Trost für Elisabetha Alexewna sein würde. Sehen Sie, er war zwölf Jahre alt — ich werd' es mein Lebtag nicht vergessen —, da kam er zu mir gelaufen, lachend, daß ihm die Thränen aus den Augen kamen und rief: Nadeschda Iwanowna, Nadeschda Iwanowna, schnell an's Fenster, sehen Sie doch, was unserer Kuh passirt ist! Ich laufe an das Fenster und erschrecke! Stellen Sie sich vor: wahrscheinlich hatten die Hunde der Kuh den Schwanz abgerissen und so lief mein liebes Kuhchen ohne Schwanz herum — es war eine Tyroler Kuh. Ich konnt' es nicht aushalten. „So,“ sagte ich, „du lachst über die Kuh deiner Mama, über die Be= schädigung ihres Eigenthums; — nun aus dir wird mein Lebtag nichts werden!“ Von der Zeit an

winkte ich schon immer mit der Hand, wenn von
ihm die Rede war."

Die Prophezeiung, die sich so sonderbar an den
abgerissenen Kuhschweif knüpfte, ging schnell in Erfüllung. Die Brüder theilten die Erbschaft und der
Jüngere ergab sich einem lustigen Leben.

Wer kennt nicht die Hogarth'schen Bilder, in
welchen er die Parallele des Lebens eines arbeit-
samen Menschen und eines Faullenzers darstellt?
Der Erstere langweilt sich in der Kirche, der Faule
spielt mit Knöchelchen; der Fleißige lies't seiner Familie ein erbauliches Buch vor, der Andere trinkt
Branntwein u. s. w. — Diese Parallele paßte, die
gesellschaftliche Stellung abgerechnet, genau auf unsere beiden Brüder. Bei Hogarth fängt der eine
der Heroen damit an zu schwelgen und endet am
Galgen, der andere hat keinen frohen Augenblick
im Leben und verurtheilt seinen Freund zum Tode.
Der Diebstahl ist hors d'oeuvre; es ist nicht seine
Schuld, daß seine Mutter ihm nicht zwei tausend
Seelen im Kaluga'schen Gouvernement und eine
halbe Million Rubel dazu hinterließ, wie Elisabetha Alexewna ihrem Sohn. Würde er sich dann
abgemüht und gequält haben? Das Stehlen ist
durchaus kein Vergnügen, sondern eine sehr unangenehme und außerordentlich gefährliche Arbeit. Nach-

dem die beiden Brüder die Erbschaft getheilt hatten, ging jeder von ihnen seinen eignen Weg. Der Eine verbesserte sein Vermögen, der Andere verschwendete es; ich weiß nicht, ob Dmitri Paulowitsch mit all' seiner Arbeit nur 100 Rubel zu seinem Reichthum hinzufügte; Nicolai Paulowitsch aber hatte nach zehn Jahren über eine Million Schulden.

Bald nach dem Tode der Mutter etablirte Dmitri Paulowitsch seine Schwester, d. h. er verheirathete sie, und ging dann nach Paris und London, um Europa zu sehen. Nicolai fing an sich in Moskau zu zeigen; Bälle, Mittagsessen, Schauspiele jagten sich in seinem Hause, das vom Morgen bis zum Abend mit Liebhabern eines guten Frühstücks, mit Kennern guten Weins, mit tanzlustiger Jugend, mit interessanten Franzosen, mit Gardeoffizieren u. s. w. gefüllt war; der Wein floß in Strömen, die Musik tönte, er empfing sogar manchmal die Potenzen ersten Ranges: den Fürsten Gallitzin und den Fürsten Jusupoff.

Der ledige Dmitri Paulowitsch besah sich während der Zeit Europa und, nachdem er Englisch gelernt hatte, kehrte er zurück, erfüllt von Plänen Devonshire'scher Pächtereien und Kornwallis'scher Pferdezucht, und begleitet von einem englischen Bereiter und zwei ungeheuren Neufoundländer Hunden

echter Race mit langen Haaren, mit Schwimm-Häut-
chen an den Pfoten und begabt mit einer unglaub-
lichen Dummheit. Säe- und Dreschmaschinen durch-
segelten das Meer und kamen mit nie gesehenen
Pflügen und Modellen aller möglichen agronomischen Geräthschaften in Moskau an.

Während nun Dmitri Paulowitsch seine Vier-
Felder-Wirthschaft in Gang brachte, die in unsere
Art des Ackerbaus nicht paßt, und unsere rechtgläubigen Wiesen mit Klee besäete, während er den
Fohlen, die von russischen Eltern geboren waren,
eine englische Erziehung gab und Tayer studirte, war
Nicolai so weit gekommen, seiner Frau überdrüssig
zu sein und hatte sich — und das halte ich für das
schlimmste und dümmste seiner Vergehen — in eine
Operntänzerin verliebt, die freilich unwürdig war,
die Schnur am Corset seiner Frau aufzulösen. Von
dem Augenblick an ging's reißend schnell mit ihm
rückwärts; die Besitzung wurde verschrieben, die
Frau härmte sich über das Schicksal ihrer Kinder
und ihr eignes, erkältete sich und starb nach einigen
Tagen. Das ganze Hauswesen löf'te sich auf.

Als er die Wirthschaft seines Bruders sah, nahm
Dmitri Paulowitsch energische Maßregeln, damit
nicht auch sein Vermögen den Creditoren seines Bruders anheim falle, d. h. er beschloß zu heirathen.

Er wählte sorgfältig, er wählte eine vernünftige Frau. Seine Verheirathung war nicht die Sache unsinniger Leidenschaft. Er wünschte sich rechtmäßige Nachfolger, um das von den Voreltern ererbte Vermögen zu erhalten.

Dieser Entschluß des Bruders beleidigte Nicolai Paulowitsch sehr; er hatte eine solche Ueberraschung nicht erwartet. Es schien Beiden an die Wiege geschrieben zu sein, daß sie Einer den Andern mit ihren dereinstigen Heirathen in Erstaunen setzen würden. Um sich zu trösten, schwelgte Nicolai noch zwei Mal so viel als früher. Wie langsam solche Sachen auch bei uns gehen, so kam denn doch endlich die Zeit, wo die Besitzung in öffentlicher Auktion versteigert werden mußte. Ich glaube nicht, daß dies Dmitri Paulowitsch sehr bekümmerte, aber auch hier mischten sich die dynastischen Interessen ein und deshalb begab er sich, mit Hülfe der Oheime, an die Rettung des Bruders. Anfänglich kaufte er mehrere doppelte Wechsel und gab 40 Kopeken auf den Rubel; d. h. er warf eine große Summe Geldes weg, um endlich einzusehen, daß er es völlig unnütz wegwerfe, weil der Wechsel zu viele waren. Eine Episode dieser Geschichten ist mir in der Erinnerung geblieben. Bei der Theilung der Erbschaft waren die Brillanten der Mutter an Nicolai gefallen. Er verſetzte zuletzt auch ſie. Dieſe Brillanten, die ſo oft die prächtige Geſtalt Eliſabetha Alexewna's geſchmückt hatten, vielleicht an eine Kaufmannsfrau übergehen zu ſehen, das konnte Dmitri Paulowitſch nicht über ſich gewinnen. Er ſtellte dem Bruder die ganze Schlechtigkeit ſeines Vergehens vor; dieſer weinte und ſchwur, daß er es bitter bereue. Dmitri Paulowitſch gab ihm einen Wechſel auf ſich und ſchickte ihn damit zum Wucherer, um die Brillanten einzulöſen. Nicolai Paulowitſch bat ihn um die Erlaubniß, ihm dieſelben bringen zu dürfen, damit er ſie als das einzige Erbtheil der Tochter aufhebe. Er löſte den Schmuck auch richtig ein und begab ſich damit auf den Weg zum Bruder, aber wahrſcheinlich fiel ihm unterwegs ein, daß er ſtatt zum Bruder ebenſogut zu einem andern Wucherer gehen und die Brillanten wieder verſetzen könne. Man muß ſich das Erſtaunen des Senators, den Zorn Dmitri Paulowitſch's und die Randgloſſen meines Vaters vorſtellen, um zu begreifen, wie ich von Herzen über dies hoch-komiſche Ereigniß lachte.

Als alle Mittel, Nicolai zu beſſern, erſchöpft waren, wurde das Eigenthum verſteigert, das Haus zum Verkauf ausgeboten, die Dienſtleute verabſchiedet. Die Brillanten wurden nicht zum zweiten Mal eingelöf't; und als endlich Nicolai Paulowitsch befahl die Bäume in seinem Garten zu fällen um die Öfen zu heizen, da kam das Schicksal, das ihn immer beschützt hatte, ihm von Neuem zu Hülfe: er ging auf's Land zu einem Verwandten und während eines Spaziergangs hielt er plötzlich im Gespräch inne, faßte sich mit der Hand an den Kopf, fiel um und war todt.

Während der letzten Jahre war der fleißige Dmitri Paulowitsch, wie Cincinnatus den Pflug verlassend, nach Moskau gekommen, um die Regierung der Gelehrten-Rupublik daselbst zu übernehmen. Dies geschah so. Der Kaiser Nicolaus dachte, der Generalmajor Pisareff hätte die Studenten nun genug dressirt, sie wüßten nun, wie die Uniformsröcke zuzuknöpfen seien, er beschloß daher, die kriegerische Erziehung der Universität mit einer staatlichen zu vertauschen. Auf dem Wege zwischen Moskau und Petersburg ernannte er den Fürsten Sergius Gallitzin zum Curator der Universität, aus welchem Grunde, ist schwer zu sagen; wahrscheinlich wußte er selbst nicht warum, oder vielleicht ernannte er ihn auch deshalb, um zu beweisen, daß der Posten eines Curators überhaupt nicht nöthig ist. Gallitzin, welcher den Kaiser begleitete, ohnehin schon halb todt von der couriermäßigen Art des über Hals und

Herzen, Gedachtes und Erlebtes. 18

Kopf Reisens, an welche er nicht gewöhnt war, er-
schrak so über die neue Würde, daß er sie ablehnen
wollte. Aber in solchen Dingen war es unmöglich
mit Nicolaus zu reden, sein Eigensinn ging bis zu
dem Wahnsinn schwangerer Frauen, wenn sie in
diesem Zustande etwas wünschen.

Wrontschenko, als er Finanzminister wurde,
warf sich dem Kaiser zu Füßen, indem er ihn seiner Unfähigkeit für diese Stelle versicherte, aber Nicolaus erwiderte ihm: „Das ist Unsinn, ich regierte
vordem auch noch kein Reich, aber ich lernte es; so
lerne du auch!" Und Wrontschenko wurde gegen
einen Willen Finanzminister, zur großen Freude
aller „unprotected females" der Meschanskoier Straßen, die, als sie seine Fenster von Lichtern strahlen
sahen, sagten: „Unser Wassili Fedorowitsch ist Minister geworden!"

Gallißin, nachdem er noch an hundert Werst
mehr zurückgelegt hatte und noch ermüdeter war,
entschloß sich auf Unterhandlungen einzugehen und
stellte vor, daß er die Stelle annehmen werde, wenn
man ihm einen zuverlässigen Menschen zur Seite
stellen wolle, der ihm helfen könne die Universitäts-
heerde zu meiden. Noch funfzig Werst weiter befahl
ihm der Kaiser, sich selbst einen Gehülfen auszusu-
chen. So kamen sie glücklich in Petersburg an.

Nachdem er sich einen Monat lang von der Reise erholt hatte, ging Gallizin ruhig nach Moskau und suchte nach einem Gehülfen. Der frühere Gehülfe, der größte der Sterblichen nach seinem Bruder und dem Preobraschenskischen Tambour-Major, Graf Panin, war wirklich zu hoch, als daß der kleine Alte ihn hätte wählen können. Da er sich nun in Moskau umsah, fiel sein Blick auf Dmitri Paulowitsch. Von seinem Gesichtspunkt aus konnte er keine bessere Wahl treffen. Dmitri Paulowitsch hatte alle die Verdienste, welche die höchste Gewalt in dem Menschen unseres Jahrhunderts sucht, ohne zugleich die Mängel zu besitzen, um derentwillen sie ihn verfolgt: er besaß Bildung, war von guter Familie, war reich, hatte Kenntnisse in der Agronomie und war nicht nur frei von „albernen Ideen," sondern im Allgemeinen auch frei von allen „Ereignissen" im Leben. Er hatte nicht eine einzige Liebesintrigue gehabt, nicht ein Duell, er spielte niemals Karten, hatte niemals bis zum Rausch getrunken, ging aber öfters am Sonntag zur Messe und nicht nur einfach zur Messe, sondern zur Messe in der Hauskirche des Fürsten Gallizin. Dazu kamen dann noch sein meisterhaftes Französisch, seine abgerundeten Manieren und seine einzige, aber völlig unschuldige Leidenschaft, die Leidenschaft für Pferde.

18 *

Als Gallitzin noch darüber nachdachte, erschien Nicolaus wieder über Hals und Kopf in Moskau. Gallitzin hielt ihn fest, ehe es ihm gelang nach Tula zu entwischen und stellte ihm Dmitri Paulowitsch vor. Dieser verließ den Kaiser als Gehülfe des Fürsten.

Von der Zeit an wurde Dmitri Paulowitsch merklich dick, sein Aeußeres nahm noch einen schärfern Ausdruck von Wichtigkeit an, er sprach noch mehr durch die Nase als früher, sein Frack saß ihm noch imposanter und — obgleich man ihn noch nicht sah — so ahnte man doch schon den Stern auf ihm.

Bis zu seiner Ernennung an der Universität waren ich und Dmitri Paulowitsch befreundet, so weit dies überhaupt unsere Altersverschiedenheit erlaubte (er war sechszehn Jahre älter als ich). Von da an kam es nur eben nicht zum Streit zwischen uns, aber zum wenigsten zehn Jahr hintereinander begegneten wir uns mit unangenehmer Kälte.

Eine eigentliche Ursache hierfür gab es nicht. Sein Betragen gegen mich war stets voller Delikatesse, ohne unnöthige Zärtlichkeit, aber auch ohne beleidigende Zurückhaltung. Dies verdient darum einige Aufmerksamkeit, weil mein Vater, seinerseits wünschend uns einander zu nähern, Alles that, was uns zu gegenseitigem Haß führen mußte.

Er sagte mir u. A. beständig, daß der Sena-

tor und Dmitri Paulowitſch meine natürlichen Be-
ſchützer wären, daß ich ihnen zugethan ſein müſſe,
daß ich ihre verwandtſchaftliche Zärtlichkeit ſchätzen
müſſe. Dem fügte er hinzu, daß es ſich von
ſelbſt verſtehe, daß alle ihre Beweiſe von Aufmerk-
ſamkeit nicht mir, ſondern ihm gölten. In Beziehung auf den alten Senator, an den ich beinahe
ebenſo gewöhnt war wie an meinen Vater, nur mit
dem Unterſchiede, daß ich ihn nicht wie jenen fürchtete, bedeuteten mir ſolche Redensarten nichts, aber
von G. entfernten ſie mich mehr und mehr und wenn
der Bruch zwiſchen uns nicht offenbar wurde, ſo war
dies nur dem Takte zu danken, mit welchem er ſich
ſtets gegen mich benahm. Solche Dinge ſagte mein
Vater nicht etwa in Augenblicken des Zorns, ſondern in der beſten Stimmung und zwar deshalb,
weil in der Katharinischen Zeit der Clientismus etwas ganz Gewöhnliches war; die Untergebenen erzürnten ſich nicht über das Du des Vorgeſetzten
und Jedermann ſuchte ganz offen nach Gönnern und
Beſchützern.

Als Dmitri Paulowitſch an die Univerſität ernannt wurde, dachte ich eben ſo wie der Fürſt Gallitzin, nämlich, daß ſeine Ernennung ſehr nützlich
für die Univerſität werden würde; aber es kam ganz
anders. Wenn G. zum Gouverneur oder Ober-

Prokurator ernannt worden wäre, so hätte man immer noch denken können, er werde besser sein als viele andere Gouverneure und Prokutoren. Aber die Stelle an der Universität paßte durchaus nicht für ihn; sein kalter Formalismus, sein Pedantismus artete in ein kleinliches, pensionsmäßiges Beherrschen der Studenten aus. Eine solche Einmischung der Regierung in das Leben des Auditoriums, ein solches Pedellwesen in großem Maßstabe, hatte selbst in den Zeiten Pisareff's nicht Statt gefunden. Und dies war um so schlimmer, als G. sich in Beziehung auf die Moral zu dem machte, was Panin und Pisareff für die Frisur und die Knöpfe gewesen waren.

Früher war in ihm, bei allem moskauischen Toryismus, doch etwas gebildet Liberales, die Liebe zur Gesetzlichkeit, der Widerwillen gegen alle Willkür und gegen die Beamten-Räuberei. Seit seinem Eintritt in die Universität aber stellte er sich ex officio auf die Seite der Bedrückungsmaßregeln, er hielt dies für ein nothwendiges Erforderniß seiner Würde. Die Zeit meines Universitätslebens war die Zeit unserer größten politischen Exaltation; konnte ich in guten Beziehungen zu einem so eifrigen Diener von Nicolaus bleiben?

Sein Formalismus und die ewige Apotheose seiner selbst brachten ihn zuweilen in die komischsten

Situationen, aus welchen er, der stets mit Erhaltung seiner Würde beschäftigt und beständig zufrieden mit sich selbst war, gar nicht so leicht sich her-
auswickeln konnte.

Als Präsident des moskauischen Censur-Comi-
tés machte er es so arg, daß in der Folge Bücher
und Artikel nach Petersburg zur Censur geschickt
wurden. In Moskau lebte ein alter Mann, Namens Masloff, ein großer Liebhaber von Pferden,
der eine genealogische Tabelle von Pferdegeschlech-
tern entworfen hatte und, da er wünschte Zeit zu
sparen, um die Erlaubniß bat, die Correkturbogen,
statt des Manuscripts, an welchem er wahrscheinlich
verbessern wollte, auf das Censuramt schicken zu
dürfen. G. machte Schwierigkeiten, hielt eine lange
Rede, worin er sehr wortreich das pro und contra
auseinandersetzte und damit schloß, daß man übrigens sich dafür entscheiden könne die Correkturbogen
in die Censur zu schicken, wenn der Autor die Ver-
sicherung gebe, daß in dem Buche nichts gegen die
Regierung, die Religion und Moralität enthalten sei.

Der cholerische Masloff stand auf und sagte
mit ganz ernsthaftem Gesicht: „Da diese Sache meiner Verantwortung anheim fällt, so halte ich es für
nöthig zu sagen, daß in meinem Buche nichts gegen
die Regierung oder die Moral enthalten ist, aber

in Beziehung auf die Religion bin ich nicht so ge=
wiß.''

„Wie ist das möglich?'' sagte G. erstaunt.

„Ja sehen Sie, im Nomokanon ist ein Artikel,
der so lautet: „Diejenigen, die über dem Kessel
schwören, die Haare flechten und auf Pferde=Wett=
rennen gehen, sollen mit dem Anathem belegt wer=
den.'' Ich spreche aber gerade in meinem Buche
von Pferde=Wettrennen und deshalb weiß ich wirk=
lich nicht'' — —

„Das kann kein Hinderniß sein,'' bemerkte G.

„Ich danke Ihnen verbindlichst für die Lösung
meines Zweifels,'' erwiderte der schlaue Alte, indem
er sich verbeugte. —

Als ich aus meinem zweiten Exil zurückkam,
war die Stellung G.'s an der Universität nicht mehr
dieselbe wie früher. An die Stelle des Prinzen
Sergius Michailowitsch war der Graf Sergei Gri=
gorewitsch Stroganoff getreten. Stroganoff, obgleich
er unklare und verworrene Begriffe hatte, war doch
sehr gebildet. Er wollte die Universität in den Au=
gen des Monarchen heben, schützte ihre Rechte, be=
schützte die Studenten vor den polizeilichen Ueber=
griffen und war liberal, so viel man liberal sein
kann, wenn man auf den Schultern ein general=
adjutantisches „N.'' trägt und wenn man der künf=

tige friedliche Befitzer des Stroganoff'schen Majo-
rats ist. In solchen Umständen darf man die dif-
ficulté vaincue nie vergessen.

„Was für eine fürchterliche Erzählung der „Man-
tel" von Gogol ist," sagte Stroganoff einmal zu E.
Stellen Sie sich meine Lage vor und sehen Sie diese
Erzählung."

„Es i — ist m — m — ir sehr schw — wer," antwortete E., „ich bin nicht gewohnt die Gegenstände
vom Gesichtspunkt eines Menschen, der dreißigtau-
send Seelen hat, zu betrachten."

Und wirklich mit solchen Staaren auf den Augen, wie das Majorat und das „R." auf dem Epauletten, ist es schwer klar zu sehen in Gottes Welt
und Graf Stroganoff biß sich auf die Zunge und
wurde ein wirklicher General-Adjutant, d. h. auf-
brausend und grob, besonders wenn ihn seine Galle
und die Hämorrhoiden quälten. Aber die Generals-
Ausfälle gelangen ihm doch nicht recht und darin
zeigte sich wieder die gute Seite seiner Natur. Um
zu erklären, was ich meine, führe ich ein Beispiel an.

Ein Krons-Student, der seinen Cursus beendigt und sehr gut gelernt hatte, wurde an ein Gou-
vernements-Gymnasium zum obersten Lehrer ernannt;
als er aber hörte, daß an einem Moskauer Gymnasium die Stelle eines Unterlehrers vacant sei, so

ging er zum Grafen, um ihn um Veränderung der
Ernennung zu bitten. Der Zweck des jungen Menschen war, daß er gern mit seinen Studien fortfah-
ren wollte, wozu er in der Gouvernementsstadt nicht
die Mittel hatte. Zum Unglück kam Stroganoff gelb
wie eine Kirchenkerze aus seinem Kabinet.

„Was für ein Recht haben Sie auf diese
Stelle?" fragte er, indem er zur Seite sah und seinen Schnurrbart drehte.

„Ich bitte deshalb darum, Herr Graf, weil
diese Stelle gerade vacant ist."

„Oh es ist auch noch eine vacant, die unsers
Gesandten in Constantinopel. Wollen Sie die vielleicht?"

„Ich wußte nicht, daß dieselbe von Ew. Excellenz abhinge," antwortete der junge Mensch;
„ich nehme die Stelle als Gesandter mit großem
Danke an."

Der Graf wurde noch gelber, aber er bat den
jungen Mann höflich in sein Kabinet.

Ich persönlich hatte mit dem Grafen die son-
derbarsten Beziehungen; selbst unsere erste Begegnung war nicht frei von dem eigenthümlichen Colo-
rit, an welchem man gleich die russische Schule er-
kennt.

In Wladimir saß ich eines Abends zu Hause,

als plötzlich der Lehrer des Gymnasiums, ein deutscher Doktor der Jenaer Universität, Namens Delitsch, in voller Uniform zu mir kommt. Doktor Delitsch eröffnete mir, daß der Vorsteher der Moskauer Universität, Graf Stroganoff, am Morgen angekommen sei und ihn geschickt habe, um mich auf den andern Morgen um zehn Uhr zu sich zu bitten.

„Das kann nicht sein; ich kenne ihn gar nicht und Sie irren sich wahrscheinlich.“

„Das ist nicht möglich. Der Herr Graf geruhten sich auf das Freundlichste bei mir über Ihre Lage zu erkundigen. Werden Sie gehen?“

Als ein echter Russe stritt ich mit Delitsch, überzeugte mich noch mehr, daß es unnöthig sei zu gehen und — ging doch.

Alfieri, als ein Nicht-Russe, verfuhr anders, als der französische Marschall, welcher Florenz besetzte, ihn unbekannterweise zu sich für den Abend einlud. Er schrieb ihm, daß, wenn dies eine persönliche Einladung sei, so sei er ihm sehr dankbar, bäte aber ihn zu entschuldigen, weil er niemals zu Unbekannten ginge. Wenn es aber ein Befehl sei, so werde er, da er die kriegerische Lage der Stadt kenne, sich unverzüglich um acht Uhr Abends als Gefangner stellen.

Stroganoff lud mich ein als eine Seltenheit,

die früher zur Univerſität gehört hatte. Er wollte
mich ſehen, weiter nichts und außerdem wollte er
(das iſt die Schwäche der menſchlichen Natur ſelbſt
unter den dickſten Epauletten) ſich vor mir ſeiner
Verbeſſerungen an der Univerſität rühmen.

Er empfing mich ſehr gut. Zuerſt ſagte er mir
eine Menge Complimente und näherte ſich dann mit
ſchnellen Schritten ſeinem Ziele. „Es iſt Schade,
daß es Ihnen unmöglich iſt Moskau zu beſuchen,
Sie würden die Univerſität jetzt nicht wiedererkennen,
von dem Gebäude und dem Auditorium an bis zu
den Profeſſoren und der Ausdehnung des Unterrichts,
hat ſich Alles verändert und geht und geht immer zu!“

Ich bemerkte ſehr beſcheiden, um zu beweiſen,
daß ich aufmerkſam höre und kein Narr ſei, daß
der Unterricht ſich wahrſcheinlich deshalb ſo verändert habe, weil viele neue Profeſſoren aus dem Auslande zurückgekehrt ſeien.

„Ohne Zweifel,“ antwortete der Graf, „aber
außerdem iſt es auch der Geiſt der Verwaltung, die
Einheit, wiſſen Sie, die moraliſche Einheit“ —

Uebrigens muß man ihm die Gerechtigkeit wi-
derfahren laſſen, daß er mit ſeiner „moraliſchen Einheit“ viel mehr zum Nutzen der Univerſität that, als
der Direktor des Hospitals in Gogols „Reviſor“
mit ſeiner „Ehrlichkeit und Ordnung.“ Die Univer-

ſtät iſt ihm ſehr verpflichtet, aber es iſt unmöglich nicht zu lachen bei dem Gedanken, daß er ſich deſſen vor einem Menſchen rühmte, der wegen politiſcher Vergehen unter polizeilicher Aufſicht ſtand. Das iſt ungefähr ebenſo als wenn ein Menſch, der wegen politiſcher Vergehen verbannt iſt, ohne die geringſte Nothwendigkeit dem Ruf eines General-Adjutanten folgt! — Iſt es denn zu verwundern, daß die Ausländer nicht aus uns klug werden können? —

Zum zweiten Male ſah ich ihn in Petersburg gerade zu der Zeit, als ich nach Nowgorod verbannt wurde. Er lebte damals bei ſeinem Bruder, dem Miniſter des Innern. Ich trat in den Saal in demſelben Augenblick, als Stroganoff herauskam. Er war in weißen Hoſen, mit allen ſeinen Regalien geſchmückt und das Ordensband über der Schulter, um an Hof zu gehen. Als er mich ſah, ſtand er ſtill, führte mich dann bei Seite und befragte mich über meine Geſchichten. Er und ſein Bruder waren empört wegen des häßlichen Verfahrens, das man ſich gegen mich bei dieſer zweiten Verbannung erlaubte.

Es war dies zur Zeit, als meine Frau krank war, einige Tage nach der Geburt eines Kindes, welches ſtarb. Wahrſcheinlich ſprach aus meinen Blicken und Worten ſehr viel Unzufriedenheit und

Erbitterung, denn Stroganoff fing plötzlich an mir zuzureden, daß ich die Prüfung mit christlicher Demuth ertragen solle. „Glauben Sie mir," sagte er, „ein Jeder hat sein Kreuz zu tragen."

„Ja sogar zuweilen mehrere auf einmal," dachte ich, indem ich auf die unzähligen Kreuze und Kreuzchen sah, die seine Brust bedeckten und konnte mich nicht enthalten zu lächeln.

Er errieth mich und erröthete. „Sie denken wahrscheinlich," sagte er, „der hat gut predigen! Glauben Sie mir, que tout est compensé (Alles ist ausgeglichen)," wenigstens dachte Asais so.

Bei alledem bemühten er und Schukoffski sich ernstlich für mich, aber der Rachen des Bulldoggs, der mich gefaßt hielt, ließ seine Beute so leicht nicht wieder los.

Als ich mich im Jahre 1842 in Moskau niedergelassen hatte, ging ich zuweilen zu Stroganoff. Er wollte mir wohl, aber zuweilen war er mir böse. Mir gefiel diese Ebbe und Fluth sehr. Wenn er in der liberalen Stimmung war, sprach er über Bücher und Journale, lobte die Universität und verglich ihren jetzigen Zustand mit der erbärmlichen Lage, in der sie sich zu meiner Zeit befunden hätte. Aber wenn er in der conservativen Stimmung war, dann warf er mir vor, daß ich nicht diene und daß ich keine Religion habe, schimpfte auf meine Artikel, sagte, daß ich die Studenten verführe, schimpfte auf die jungen Professoren und klagte, daß sie ihn in die Alternative brächten, entweder seinen Eid zu brechen oder ihnen die Katheder zu schließen. „Ich weiß es, was für ein Geschrei sich dann erheben wird und Sie werden der Erste sein, mich einen Vandalen zu nennen."

Ich neigte den Kopf als Zeichen der Bejahung und fügte hinzu: „Sie werden dies aber nie thun und deshalb kann ich Ihnen aufrichtig für Ihre gute Meinung von mir danken."

„Unverzüglich werde ich es thun," murmelte Stroganoff, indem er den Schnurrbart in die Höhe zog und gelb wurde. Wir Alle wußten recht gut, daß er seine Drohung nicht verwirklichen würde, und rechneten ihm deshalb sein periodisches Aufbrausen um so weniger an, als wir an sein Majorat, seinen Rang, seine Galle und seine Hämorrhoiden dachten.

Einmal, als er wieder auf alles Revolutionaire schimpfte, erzählte er mir, daß am 14. December 1825 T. den Kampfplatz verlassen, und ganz verwirrt in das Haus seines Vaters gekommen sei, daß er sich dann an das Fenster gestellt und auf die Scheiben getrommelt habe; nach einiger Zeit habe

ihm endlich eine Französin die Gouvernante des
Hauses, zugerufen: „Schämen Sie sich, ist dies Ihr
Platz, während das Blut Ihrer Freunde draußen
auf dem Kampfplatze fließt? Verstehen Sie so Ihre
Pflicht?" — und er sei gegangen; aber wohin? —
um sich bei'm östreichischen Gesandten zu verbergen!

„Nun, hätte er denn gehen sollen, um bei der
Polizei den Denuncianten zu machen?" sagte ich.

„Wie?" fragte Stroganoff erstaunt und wich
fast vor mir zurück.

„Oder denken Sie wie die Französin?" sagte
ich lachend, „daß es seine Pflicht gewesen wäre auf
den Kampfplatz zu gehen und auf Nicolaus zu schie-
ßen?"

„Sehen Sie," bemerkte Stroganoff achselzu-
ckend und unwillkürlich nach der Thür sehend, „was
Sie für einen unglücklichen pli des Geistes haben;
ich sage nur, daß Leute, die keine wahren, moralischen, auf den Glauben gegründeten Prinzipien haben, wenn sie einmal vom rechten Wege abgehen,
so verwirren sie sich ganz. Mit den Jahren werden
Sie es schon noch einsehen."

Bis jetzt sah ich es noch nicht ein, aber diese
Seite der Unbeholfenheit bei Stroganoff, über welche
Tschaadajeff manchmal so boshaft lachte, rechne ich
ihm im Gegentheil zur größten Ehre an.

Man sagt, auch Stroganoff sei zur Zeit der völligen Geistesfinsterniß unseres newskischen Saul's, nach der Februarrevolution, mit fortgerissen worden. Er soll in dem neuen Censurrath das Verbot erlassen haben; nichts, was ich geschrieben, durchzulassen. Ich nahm dies für ein wirkliches Zeichen seiner guten Gesinnung gegen mich; als ich es hörte, fing ich sogleich meine russische Presse an. Aber Saul ging weiter. Bald umging und überging die Reaktion unsern Grafen, er wollte nicht der Henker der Universität sein und nahm seinen Abschied. Dies war jedoch noch nicht Alles. Zwei oder drei Monate nach Stroganoff trat auch G. aus dem Dienst, erschreckt von einer Reihe unsinniger Maßregeln, welche ihm von Petersburg aus vorgeschrieben wurden.

So endigte sich die öffentliche Carriere von Dmitri Paulowitsch und er, als ein wirklicher Moskovite, warf die Bürde der Staatsgeschäfte von sich, fing an aufzuathmen und beschäftigte sich mit seinem ländlichen Haushalt, umgeben von seiner Familie, seinen Pferden und seinen schön eingebundenen Büchern.

In seinem häuslichen Leben war während seiner Curatorschaft Alles auf's Beste gegangen, d. h. die Kinder waren zur rechten Zeit in die Welt gekommen und hatten zur rechten Zeit ihre Zähne ge-

habt. Das Vermögen war gesichert durch rechtmä=
ßige Erben. Außerdem erfreute und erwärmte noch
ein Wesen die letzten zehn Jahre seines Lebens. Ich
meine Bitschek, das erste Renn=Pferd, was den Lauf,
die Schönheit, die Stärke und die Hufen anbetrifft,
nicht nur in Moskau, sondern in ganz Rußland.
Bitschek stellte die poetische Seite der Existenz von
Dmitri Paulowitsch vor. In dem Cabinet des Letz=
teren hingen mehrere Portraits von Bitschek, einige
in Oel, einige in Wasserfarben. Wie man Napo=
leon darstellte als mageren Consul mit langen,
feuchten Haaren, als dicken Imperator mit einem
Haarbüschel über der Stirn und mit kurzen Beinen,
zu Pferd, auf dem Stuhle sitzend, als abgesetzten
Kaiser mit auf den Rücken gelegten Händen, auf
dem Felsen stehend über dem brüllenden Ocean —
so war auch Bitschek in den verschiedenen Momenten
seines glänzenden Lebens dargestellt: in dem Stand
des Pferdestalls, wo er seine Jugend zubrachte, frei
auf dem Felde, nur mit einem kleinen Zaum, endlich
eingespannt in einem kaum sichtbaren leichten Ge=
schirr, mit einem Körbchen auf der Schlittenkufe
und neben ihm der Kutscher in der Sammetmütze,
im blauen Kaftan, mit einem Bart, der so regel=
recht frisirt war wie bei den assyrischen Ochsen=Czaa=
ren, derselbe Kutscher, der auf ihm ich weiß nicht

wie viele Pokale von Sasikoffscher Arbeit, die im Saal unter Glas standen, gewann.

Man hätte denken sollen, daß, befreit von der langweiligen Universitätsarbeit, mit einem großen Vermögen und großen Einkommen, mit zwei Ordenssternen und vier Kindern G. nicht nur leben, sondern unendlich lange hätten leben müssen. Das Schicksal wollte es aber anders. Bald nachdem er seinen Abschied genommen hatte, erkrankte er, ein gesunder starker Mann von einigen funfzig Jahren, plötzlich, wurde schlechter und schlechter, bekam die Halsschwindsucht und starb nach einer schweren und qualvollen Krankheit im Jahre 1849.

Und da bleibe ich wieder in Gedanken vor den Gräbern dieser zwei Brüder stehen und eine Reihe sonderbarer Fragen, die ich schon einmal aufwarf, drängen sich von Neuem meinem Geiste auf.

Der Tod machte die beiden ungleichen Menschen einander gleich. Wer von ihnen benutzte die Zeit zwischen den zwei stummen, stillen Abgründen am besten? Der Eine verschwendete seine Kräfte und sein Vermögen, aber er hatte seinen Honigmonat und noch dazu vom besten Linden-Honig. Zugegeben, daß er ein unnützer Mensch war, aber absichtlich that er Niemand etwas zu Leide. Er hinterließ seine Kinder in Armuth — das war schlimm;

19*

aber sie erhielten doch eine Erziehung und mußten auch etwas von den Oheimen bekommen. Und wie viele Menschen, die das ganze Leben hindurch gearbeitet haben, schließen die Augen mit bitteren Thränen, indem sie auf ihre zurückbleibenden Kinder sehen, denen sie weder Erziehung noch Brod geben konnten! Thomas Carlyle sagte, um die Leute zu trösten, die sich zu sehr über das Schicksal des unglücklichen Sohnes von Ludwig XVI. bekümmerten: „Es ist wahr, er wurde als Schuster erzogen, d. h. er erhielt die harte Erziehung, welche Millionen von Kindern armer Bauern und Arbeiter erhielten und noch erhalten.‟

Der andere Bruder lebte gar nicht; er verrichtete das Leben, so wie ein Priester das Hochamt verrichtet, d. h. er vollzog mit der äußersten Wichtigkeit ein gewohntes Ritual, welches mehr feierlich als nützlich war. Darüber, warum er es vollzog, hatte er wahrscheinlich ebensowenig nachgedacht, wie sein Bruder über das Gegentheil. Wenn man aus dem Leben von Dmitri Paulowitsch zwei oder drei Zufälligkeiten herausnimmt — z. B. Bitschek, Wettrennen und silberne Pokale; zwei bis drei Aus- und Eingänge — z. B. als er zuerst in die Universität ging mit dem Bewußtsein ihr Vorgesetzter zu sein; als er zum ersten Mal mit dem Stern

auf der Brust aus seinem Zimmer ging, um Sr.
Kaiserl. Majestät vorgestellt zu werden; als er Se.
Kaiserl. Hoheit in das Auditorium begleitete u. s. w. —
so bleibt nichts übrig als graue Prosa, ein ewig
beschäftigter, begränzter, officieller Vormittag. Freilich sein Begriff von der Wichtigkeit seines Antheils
an der administrativen Gewalt gab ihm Genuß;
die Etiquette ist auch eine Art der Poesie, eine Art
artistischer Gymnastik auf Gallafeten und Paraden,
aber welche dürftige Poesie war dies im Vergleich
mit den schwelgerischen Gastmahlen, bei welchen das
Leben seines Bruders verging, der sich im Geheimen mit dem schönen Mädchen mit den bezaubern-
den Augen verheirathet hatte!

Und trotz aller guten Eigenschaften erreichte
Dmitri Paulowitsch weder Gesundheit noch langes Leben; er starb ebenso unerwartet wie sein Bruder,
nur unter viel größeren Qualen. *)

Schon gut!

---

*) Es scheint mir eine Pflicht zu sein, daß ich, indem
ich von Dmitri Paulowitsch G. rede, auch des letzten Zugs
in seinem Benehmen gegen mich gedenke. Nach dem Tode
meines Vaters blieb er mir noch 40,000 Fr. schuldig. Ich
ging darüber in's Ausland und ließ diese Schuld bei ihm.
Sterbend verordnete er, daß ich der Erste sein sollte, dem
diese Schuld zurückgezahlt würde, weil ich sie officiell nicht
fordern könnte. Mit der nächsten Post, nach der Nachricht
seines Todes, bekam ich das ganze Geld.

Fünftes Kapitel.

Die letzte Reise nach Sokolovo. — Theoretische Zwiftigkei-
ten. — Gespannter Zustand. — Die Damengesellschaft. —
Dahin! Dahin! —

———

Im Sommer 1845 lebten wir auf dem Lande
in Sokolovo. Dieses Sokolovo, ein herrliches Eck-
chen des Gouvernements Moskau, liegt zwanzig
Werst von der Stadt auf dem Wege nach Twer.
Wir bewohnten eines der kleinen herrschaftlichen
Häuser, welches fast ganz in dem Park steht, der
sich vom Berg zu einem kleinen Fluß herunterzieht.
Von der einen Seite war derselbe durch unser groß-
russisches Meer — die Kornfelder — begränzt, von
der anderen enthüllte sich eine ausgedehnte Fern-
sicht, weshalb der Eigenthümer auch nicht erman-
gelt hatte, die dort angebrachte Laube Belle-vue zu
nennen.

Sokolovo gehörte ehemals den Grafen Rumanzoff. Die reichen aristokratischen Gutsbesitzer des

achtzehnten Jahrhunderts hatten bei allen ihren La-
stern doch einen großartigen Geschmack, den sie ihren Nachfolgern nicht hinterließen. Die alten, herrschaftlichen Dörfer und Herrenhäuser an dem Mos-
kwafluß waren außerordentlich schön, besonders diejenigen, in welchen seit den zwei letzten Generationen nichts verbessert und verändert worden war.

Wir verbrachten unsere Zeit dort auf das
Schönste. Keine Wolke verdüsterte den heiteren
Himmel; viel arbeitend und viel umherwandernd
lebten wir in unserem Park. K. brummte weniger,
obgleich es ihm doch einige Mal passirte, die Au-
genbrauen sehr in die Höhe zu ziehen und derbe
Reden mit obligaten Armverrenkungen zu halten.
Granoffski und E. kamen beinahe jede Woche am
Sonnabend und blieben über Nacht, manchmal so-
gar bis zum Montag da.

Wenn unser Freundeskreis in einer Ecke des
Parkes unter einer großen Linde zusammensaß, so
beklagten wir nur die Abwesenheit N.'s. — Nun
war auch er da und im Jahre 1846 gingen wir
wieder nach Sokolovo und er mit uns; Granoffski
nahm einen kleinen Flügel für den ganzen Sommer,
N. wurde im Entresol einquartiert über dem Ver-
walter, einem Flottenmajor ohne Ohr.

Und bei alledem sagte mir nach zwei, drei Wo-

chen ein unbeſtimmtes Gefühl, daß unſere Villeg=
giatura nicht gelungen, und daß leider auch nicht zu
helfen wäre. Wem iſt es nicht ſchon begegnet, daß
er ſich vorgenommen, einen Tag feſtlich zu begehen,
und daß er im Voraus ſchon ſich darauf freut, wie
hübſch und angenehm Alles werden ſolle; und nun
kommen die eingeladenen Freunde, es geht Alles
gut, nichts Beſonderes fällt vor, aber — die ge=
hoffte Freude will nicht kommen. Das Leben geht
nur dann raſch und gut vorwärts, wenn wir das
Blut in den Adern nicht fühlen und wenn wir gar
nicht an den Verlauf des Lebens denken, eben weil
es ſo leicht und ſchnell geht. Wenn man aber je=
den Pulsſchlag fühlt, dann kann man gewiß ſein,
daß eine Krankheit kommt, eine Diſſonanz, mit der
man ſich nicht immer wird abfinden können.

Die erſte Zeit nach der Ankunft der Freunde
war wie im Rauſch vergangen, wir lebten nichts
als Feiertage. Da ſtarb mein Vater. Sein Ende,
die Geſchäfte und Beſorgungen, Alles das zog ab
von theoretiſchen Fragen. In der Stille des So=
kolovſchen Lebens aber mußte die Verſchiedenheit
unſerer Anſichten zu Tage kommen.

N., der mich während vier Jahren nicht geſe=
hen hatte, war dennoch völlig einer Richtung mit
mir. Wir gingen auf verſchiednen Wegen durch

diese Ferne und kamen plötzlich wieder zusammen.
Mit uns vereinigte sich Natalie. Unsere ernsten und,
auf den ersten Blick, niederschlagenden Gesichtspunkte erschreckten sie nicht, im Gegentheil sie gab
ihnen eine ganz besondere poetische Färbung.

Die Streitigkeiten hielten öfters an und kehr-
ten immer wieder zurück. Einmal aßen wir im Garten zu Mittag. Granoffski hatte eben in den „Vaterländischen Blättern" einen meiner Briefe über die
„Lehren der Natur" (wenn ich nicht irre den „an
die Encyclopädisten") gelesen und war außerordentlich zufrieden damit.

„Aber was gefällt dir denn daran?" fragte ich,
„wenn nicht blos die äußere Form? Mit dem lei-
tenden Gedanken kannst du doch nicht einverstanden sein?"

„Deine Ansicht," erwiderte Granoffski, „ist
eben auch ein historisches Moment in der wissen-
schaftlichen Entwicklung des Denkens, wie die Schrif-
ten der Encyclopädisten. Mir gefällt gerade dasselbe
in deinen Artikeln, was mir in Voltaire und Diderot gefällt; sie berühren frisch und scharf diejenigen Fragen, welche den Menschen erwecken und vorwärts drängen; aber freilich auf die Einseitigkeit
ihrer Gesichtspunkte kann ich nicht eingehen. Spricht
wohl irgend Jemand von den Theorien Voltaire's?"

„Giebt es denn aber gar kein Kriterium für die Wahrheit und wecken wir die Leute nur, um ihnen Albernheiten vorzuschwatzen?"

In dieser Weise setzten wir das Gespräch noch längere Zeit fort. Ich bemerkte, daß die Entwicklung der Wissenschaft und ihr gegenwärtiger Standpunkt uns zur Annahme mancher Wahrheiten verpflichteten, ganz unabhängig davon, ob wir es wollten oder nicht, daß dieselben aber dann, wenn einmal erkannt, aufhörten historische Räthsel zu sein und einfach zu unumstößlichen Thatsachen der Erkenntniß würden, wie die Euklidischen Theoreme, die Kepplerschen Gesetze, oder die Untheilbarkeit von Ursache und Wirkung, von Geist und Materie.

„Alles dies ist so wenig verpflichtend," entgegnete Granoffski, indem er blaß wurde, „daß ich eure trockne kalte Idee von der Einheit des Geistes und des Körpers, welche die Unsterblichkeit der Seele ausschließt, keineswegs annehme. Es mag sein, daß euch der Glaube daran nicht nöthig ist, ich aber habe schon zu Viele begraben, um ihn entbehren zu können. Mir ist die Ueberzeugung von der persönlichen Fortdauer nothwendig."

„Es wäre ein herrliches Leben in dieser Welt," versetzte ich, „wenn Alles das, was man braucht

oder wünscht, sich sogleich einstellte, wie im Märchen."

„Bedenke, Granoffski," fügte N. hinzu, „ob
dies nicht vielleicht blos eine Art Flucht vor dem
Unglück ist!"

„Hört," begann Granoffski ganz bleich, indem
er sich bemühte gleichgültig zu scheinen, „ihr werdet
mich aufrichtig verbinden, wenn ihr mit mir nie
mehr über diese Dinge redet. Wir haben doch außerdem genug Gegenstände, die uns beschäftigen
und über die es viel angenehmer und nützlicher ist
zu sprechen."

„Mit dem größten Vergnügen!" sagte ich, während ich fühlte, daß ich auch blaß wurde. N. schwieg.
Wir sahen Einer den Andern an und dieser Blick
war vollkommen genügend; wir liebten uns gegenseitig viel zu sehr, um nicht gleich am Ausdruck
des Gesichts zu wissen, was in uns vorging. Nicht
ein Wort wurde mehr gesagt, der Streit wurde nicht
fortgesetzt. Natalie bemühte sich, das Vorgefallene
übergehend, wieder Alles in Ordnung zu bringen.
Wir halfen ihr. Die Kinder, welche in solchen Fällen immer befreiend wirken, dienten zum Gegenstand
des Gesprächs und das Mittagessen endete so friedlich, daß ein Fremder, der nach dem Gespräch ein-
getreten wäre, nichts bemerkt haben würde.

Nach dem Essen schwang N. sich auf sein kaukasisches Pferd, ich bestieg eine Mähre, die schon ihre Dienstzeit in einer Gansdarmen-Division durchgemacht hatte und fort ritten wir in die Felder. Es war uns so schwer um's Herz, als wenn uns ein sehr lieber Freund gestorben wäre. Bis zu dieser Zeit hatten N. und ich geglaubt, daß wir uns noch mit den Freunden verständigen könnten, daß unsere Freundschaft die Zwistigkeiten wie Staub verwehen würde; aber der Ton und der Gedanke der letzten Worte des erwähnten Gesprächs öffneten vor unsern Augen eine Kluft, welche wir bis dahin nicht gesehen und nicht geahnt hatten. Da war plötzlich eine Gränze, eine Beschränkung und mit ihr die Censur! Auf dem ganzen Wege sprachen weder N. noch ich ein Wort. Als wir nach Hause zurückkehrten, schüttelten wir traurig den Kopf und sagten Beide wie aus einem Munde: „Und so sind wir denn wieder allein!“

N. nahm eine Troika und fuhr nach Moskau; auf dem Wege machte er ein kleines Gedicht, aus welchem ich das Motto zum zweiten Kapitel nahm.

— — — Nicht Schmerz, nicht Langeweile
Ermüden mich. — Jed' Ding hat seine Frist;
Ich sprach die Wahrheit streng im Freundeskreise,
Die Freunde aber flohn', im kind'schen Schreck.

Auch er ging fort, den ich wie einen Bruder,
Wie eine Schwester zärtlich hab' geliebt!

Allein gehn wieder wir auf dunklem Wege,
Zur Wahrheit unverwandt den Blick gewandt,
Und Träum' und Menschen lassen wir dahinten.

Granoffski und ich trafen uns am folgenden
Tage, als ob nichts vorgefallen wäre. Das war
ein schlimmes Zeichen von beiden Seiten. Der
Schmerz war schon so tief, daß er keine Worte mehr
hatte; und der stumme Schmerz, der keinen Aus-
gang hat, zernagt, wie die Maus, in der Stille
Faden auf Faden — —

Ungefähr zwei Tage später war ich in Moskau.
Ich ging mit N. zu E. — Er war so zuvorkom-
mend liebenswürdig, so traurig-freundlich mit uns,
als wenn es ihm leid um uns wäre. Was sollte
dies heißen? Als ob wir ein Verbrechen begangen
hätten! Ich fragte E. geradezu, ob er von unserem
Streit gehört habe? Er hatte davon gehört; er
sagte, daß wir uns Alle zu sehr durch den Gegenstand hätten hinreißen lassen; er bewies, daß die
ideale Identität zwischen Menschen und Meinungen,
von welcher wir träumten, im Allgemeinen nicht
existire; daß die Sympathie der Menschen ebenso

wie die chemische Verwandtschaft ihre Grenzen der
Befriedigung habe, über welche hinauszugehen es
unmöglich sei ohne auf Seiten zu stoßen, wo sie
sich wieder fremd würden. Er scherzte über unsere
Jugend, welche die dreißig Jahre überlebt habe;
und Alles das sagte er mit Freundschaft und Scho-
nung, aber wir sahen es ihm an, daß es ihm nicht
leicht um's Herz war.

Wir trennten uns friedlich, ich dachte ein wenig erröthend an meine „Naivetät" und dann, als
ich allein war und im Bett lag, schien es mir, als
wenn man mir noch ein Stück vom Herzen gerissen
hätte. — Weiter fiel nichts vor — Alles überzog
sich nur mit einer düstern, matten Farbe; die Ungezwungenheit, das völlige sich Gehenlassen verschwanden aus unserem Kreise. Wir paßten mehr
auf, umgingen einige Fragen, kurz wir zogen uns
in Wirklichkeit auf die „Grenze der chemischen Verwandtschaft" zurück und dies Alles verursachte uns
um so mehr Kummer und Schmerz, als wir Einer
den Andern tief und aufrichtig liebten.

Es kann sein, daß ich zu ungeduldig war, zu
lebhaft stritt, zu hitzig antwortete. Aber im Wesentlichen bin ich noch heute überzeugt, daß in den
wirklich nahen Beziehungen die Gleichheit der Religion, die Gleichheit in den hauptsächlichsten theo-

retifchen Ueberzeugungen, nothwendig ift. Es ver-
fteht fich, daß es nicht die theoretifche Uebereinftim-
mung allein ift, welche nöthig ift für enge Beziehungen zwifchen Menfchen, ich ftand z. B. J. B.
Kirejeffski näher durch die Sympathie als vielen
der Unferen. Noch mehr: man kann ein guter und
getreuer Bundesgenoffe fein und fich zu irgend
einer beftimmten That vereinen und doch in den
Meinungen auseinander gehen; in folchen Beziehungen war ich mit Leuten, die ich unendlich achte, ob-
fchon ich in Vielem nicht mit ihnen übereinftimme,
wie z. B. mit Mazzini, mit Worcell. Ich fuchte fie
nicht zu überzeugen und fie mich nicht; wir hatten
genug Gemeinfames, um zufammen gehen zu können, ohne uns auf dem Wege zu zanken. Aber zu
Haufe, zwifchen den Brüdern einer Familie, Zwil-
lingen, die von einem Leben leben, kann man fich
nicht fo tief entzweien.

Wenn wir noch eine gemeinfame Arbeit gehabt
hätten, in die wir uns hätten völlig vertiefen müf-
fen! Aber unfer aller Thätigkeit bewegte fich gerade
in der Sphäre des Gedankens und der Propaganda
für unfere Ueberzeugungen — wo gab es ein Nachgeben auf diefem Gebiete? — --

Der Riß, der fich an einer Mauer des Ge-
bäudes unferer Freundfchaft aufgethan, erweiterte

sich, wie dies immer zu gehen pflegt, durch Kleinigkeiten, Albernheiten, unnöthige Offenherzigkeiten,
wo es besser gewesen wäre zu schweigen, und schäd-
liches Schweigen, wo es nöthig wurde zu reden.
Diese Dinge entscheiden sich einzig durch den Takt
des Herzens, dafür giebt es keine Regeln.

Bald gab es auch Zerwürfnisse in der Damen,
gesellschaft — — — — — — — —
— — —· — — — — — — —

Für den Augenblick war nichts zu machen.

Reisen — reisen — weit hinweg, auf lange —
unverzüglich reisen!

Halle, Druck von Schmidt.

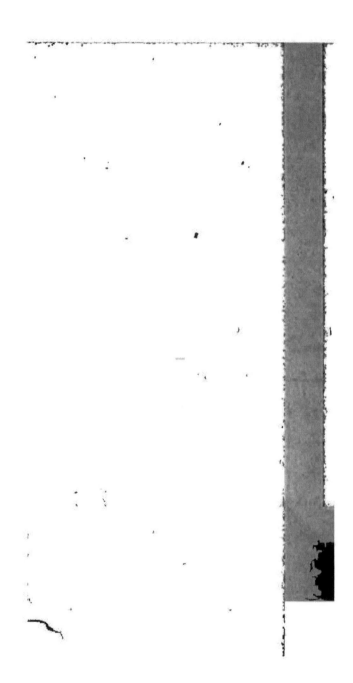

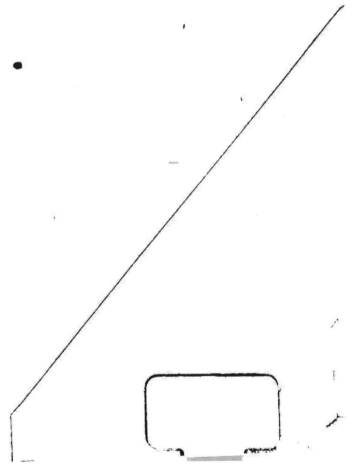

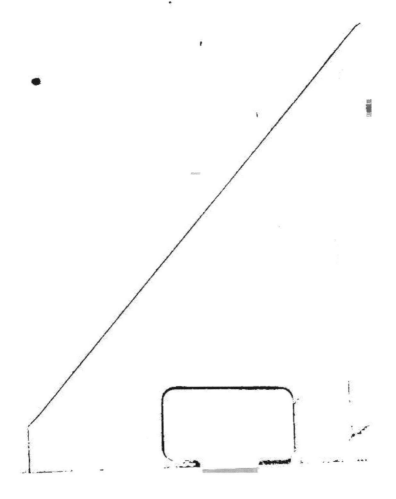

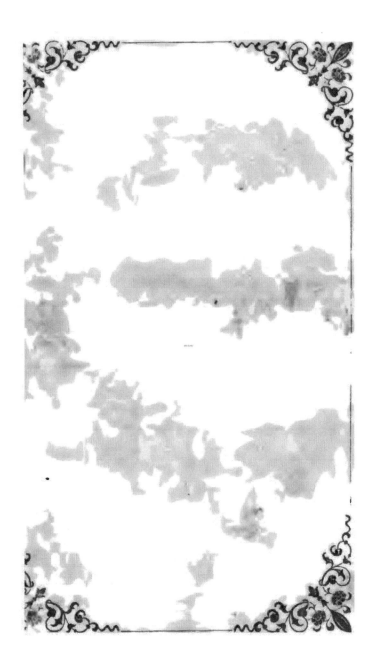

Druck:
Customized Business Services GmbH
im Auftrag der KNV-Gruppe
Ferdinand-Jühlke-Str. 7
99095 Erfurt